D0830982

Omslagontwerp: Varwig Design
Erik de Bruin
Hengelo

Druk: Koninklijke Wöhrmann
Zutphen

4e druk 2009

ISBN 90-76968-27-6

Postbus 30227
6803 AE Arnhem

MOEDERDIER

Misdaadroman

GERARD
NANNE

PROLOOG

‘Wil je nog wat drinken, Jur?’
Jurriaan Veldhoven keek op z’n horloge en schudde z’n hoofd.
‘Ik moet zo gaan, Eef’, zei hij gehaast.
Ze knikte en keek hem aan. Knap, donkerblond, slank. Vriendelijke ogen. Grijs, maar niet koel. Kort geleden hadden ze nog knallende ruzie gehad. Ze had daarbij een vaas met bloemen stukgegooid. Zijn bloemen, vlak voor zijn voeten. Ze had geschreeuwd, gejankt, aan z’n kleren getrokken en hem laf genoemd. “Je moet beslissen!!”, had ze hem toegesnauwd.
Zes maanden kende ze hem nu. Ze had hem ontmoet tijdens de opening van het nieuwe stadskantoor. Jurriaan was de ontwerper, zij was als aannemer betrokken bij de bouw. Maar als altijd leek ze op de verkeerde man te zijn gevallen. Jurriaan was getrouwd en had een zoon. Ze had een keuze van hem geëist, en gekregen.
‘Ik zal je missen, Jur’. Het klonk alsof ze stikte in haar eigen woorden.
‘Stel je niet aan Evelien, het is maar een weekje.’
‘Zeven nachten.’
Hij glimlachte en trok z’n jas aan. ‘Je bent lief’, zei hij. Hij liep naar haar toe en gaf haar vluchtig een kus.
‘Vertel je het je vrienden nu ook, van ons?’
Hij knikte, pakte een tissue uit zijn jaszak en depte haar voorhoofd.
‘Denk je goed om jezelf?’, vroeg hij. ‘Je bent nog steeds koortsig.’
Ze draaide zich half om. ‘Ga nu maar. Straks kom je nog te laat.’
Hij keek op z’n horloge. ‘Verdikkeme!’, riep hij geschrokken, pakte z’n koffer en liep met vlugge passen de kamer uit.

Evelien Mulder was gaan zitten. Het was nu woensdag, overdacht ze. Over een week zou Jur pas terugkomen. Ze keek om zich heen, naar de ruimte in de nog half ingerichte flat. “Ik wil je wat laten zien”, had hij een week na hun ruzie gezegd. Het was deze flat. “Tijdelijk”, beloofde hij. “Eerst moeten de scheidingsperikelen achter de rug zijn.” Ze kon zich niet herinneren zich ooit zo gelukkig te hebben gevoeld. Vier dagen woonden ze nu samen. Vier heerlijke dagen en nachten.
Ze stond op, liep naar de keuken, trok een vel van de keukenrol en streek daarmee over haar voorhoofd. Ze had een stevige griep te pakken. Anders was ze met hem meegegaan naar dat congres in Barcelona. Ze zuchtte. Vanmorgen had ze definitief afgehaakt. Ze was badend in het zweet wakker geworden.
“Wat droomde je?”, had Jurriaan gevraagd. “Je ijlde, je riep steeds: laat me met rust, laat me met rust!” Eerst had ze haar schouders opgehaald, maar daar was hij niet ingetrapt.
“Kom op, Evelien! Wat droomde je!?”
“Het was niets, Jurriaan. Gewoon een koortsdroom denk ik, ik kan het me niet eens herinneren.” Hij had doorgevraagd, maar ze had voet bij stuk gehouden. Niet nu, had ze zich voorgenomen. Straks als hij weer terug is, zal ik er met hem over praten.
Ze rilde weer. Een minuut geleden had ze het nog heet gehad, nu rilde ze van de kou. Of was het van angst? Ze zou naar bed moeten gaan. Halfzeven. Jur ging de lucht in. Ze stond op. De stramme houding, waarin ze had gezeten, eiste haar tol. Met stijve bewegingen liep ze naar de voordeur. ‘Verrek’, mompelde ze. ‘Hij staat nog half open. Logisch dat ik het zo koud kreeg!’
Ze gaf er een trap tegen en verwenste Jurriaans nonchalante gedrag. De sleutel van de voordeur, peinsde ze. Wat had Jur nou gezegd, oh ja, in de meterkast. Ze opende de deur van de meterkast. Geen sleutel, zag ze onmiddellijk. Wel het haakje

waaraan je hem mocht verwachten. Verdomme Jur, waar is de sleutel? Ze doorzocht de zakken van zijn achtergebleven colberts. Niets. Zou ze hem bellen? Ze liep terug naar de voordeur en controleerde of deze goed in het slot was gevallen. Ach nee, overdreven om daar nu over te bellen. Morgen zou ze de huisbewaarder om een duplicaat vragen. Ze deed het licht in de hal uit en liep terug naar de kamer. Haar blik gleed over de nog volgepakte dozen. Dozen, gevuld met allerlei spullen, haar spullen, die nog steeds een plaatsje moesten krijgen in zijn flat, of nee, in hun flat. Ze doofde het licht in de kamer en liep naar de achtergelegen badkamer. Het voornemen te gaan douchen liet ze varen. Ze beperkte zich tot het tandenpoetsen en het wassen van haar gezicht. Met afgrijzen keek ze in de spiegel. Ze zag lijkbleek en het haar kringelde in vette slierten langs haar gezicht. 'Jezus, wat zie ik eruit', mompelde ze verschrikt. Ze pakte twee paracetamoltabletten uit het medicijnkastje en liep naar de keuken om een glas te halen. Over de betonnen galerij hoorde ze voetstappen. Even later passeerde een gedaante het keukenraam. De eerste keer, dat haar dit gebeurde, was ze zich lam geschrokken. Nu was ze er aan gewend geraakt. Het was het gevolg van het wonen in een galerijflat, en zeker wanneer je als eerste naast de lift woont. Ze sloot het gordijn en stopte de tabletten in haar mond. Met dichtgeknepen ogen dronk ze het glas leeg. Daarna liep ze naar de slaapkamer, sloot de gordijnen, kleedde zich rillend uit en kroop in bed. Amper in bed ging de telefoon. Ze schrok en keek op de wekker, kwart voor zeven. Jurriaan? Had hij z'n vliegtuig gemist? Gehaast stapte ze weer uit bed, liep terug naar de kamer en nam op, maar nog voor ze haar naam had kunnen noemen werd er opgelegd. 'Verdomme!', riep ze kwaad. Terug in bed schrok ze van haar eigen gedachten. Hij zou haar toch niet controleren? Nee, onzin natuurlijk. Iemand draaide een verkeerd nummer en kwam daar zelf achter. Of zou het weer.... Nee, niet aan denken nu. Ze ging op haar zij liggen en trok haar knieën op. Slapen lukte niet. Ze kwam maar niet los van de gedachte, die haar al enkele weken bezighield. Ze moet er met iemand over praten. Een collage van gezichten trok voorbij. Jurriaan overheerste. Waarom was hij niet bij haar gebleven? Waarom liet hij haar hier doodziek achter? Ze rilde weer en trok het dekbed verder over haar hoofd.

Ze schrok wakker uit een droom. Het geluid, dat haar deed schrikken, herkende ze nu als het geluid van een dichtslaande deur. De voordeur! Het schokte door haar heen. 'Maar..., dat kan niet', fluisterde ze tegen zichzelf. 'Ik weet zeker dat hij dicht was.' Jurriaan? Had hij zich bedacht? Langzaam kwam ze overeind. Haar nachthemd hing als een natte dweil verwrongen om haar lichaam. Het bleef stil. Ze moest het hebben gedroomd. Uit alle macht probeerde ze het gedroomde in haar herinnering terug te roepen, maar ze kwam - anders dan de vorige nacht - niet verder dan wat vage, onbeduidende beelden. Beelden waarin een dichtslaande deur geen rol speelde. Het zou toch niet.... Ze ademde zwaar. Ze moest het zeker weten. Maar juist voordat ze al haar moed had verzameld, ontdekte ze de streep licht onder de slaapkamerdeur. Onmiddellijk daarop zag ze de deurkruk zakken, langzaam, maar onmiskenbaar zakken. Dit was niet Jur, dit was... Ze wilde roepen. Haar mond vormde een naam, maar een klauw van angst greep haar bij de keel. Seconden lang bleef de kruk op zijn laagste stand hangen, gevolgd door zachte, bonkende geluiden. Even nog was er de illusie dat de indringer de klemmende deur voor gesloten hield. Toen zwaaide hij met geweld open...

1

Het was donderdag twaalf november. Om vijf over negen besloot Frank Benders ondanks het gure weer op zijn fiets naar het politiebureau te gaan. Een historisch besluit voor een man van achtenveertig jaar, die tot deze dag al meer dan twintig jaar gewoon was zijn auto te pakken. Hij keek naar buiten. Zuidwesterwind. Tegen dus. Negen kilometer. De twijfels negerend pakte hij z'n tas.
'Moet je geen regenpak mee, pa?', vroeg Femke. Benders hoorde de ironie. Eline keek hem lachend aan. 'Femke heeft gelijk, Frank,' zei ze, 'het regent.'
Hij trok z'n schouders op. 'Waait wel over', mompelde hij. Hij gaf z'n vrouw en dochter een kus en vertrok. Hoorde hij dat nou goed? Ze lachten, ze lachten hem verdomme uit. Zodra hij met z'n fiets uit de garage kwam, begreep hij waarom. Het regende, nog niet hard weliswaar, maar het regende. Hij keek omhoog en knikte. De lucht was aan het breken. Hij zou gelijk krijgen, de meeste wolken zouden overwaaien.

Benders hield van de herfst. Ondanks de harde tegenwind en wat verdwaalde regendruppels genoot hij van z'n besluit voor de fiets te hebben gekozen. Hij keek naar z'n bruine handen. Gisteren zat hij nog op Corsica. 'Er even tussenuit', zo had Eline geregeld. Tien dagen. Tien, in alle opzichten warme dagen. Hij was er bruin en gelukkig geworden. De crisis in zijn relatie leek bezworen. Het maatjesgevoel was op Corsica weer teruggekomen. Ze hadden veel gepraat. Over Grazyna, de Poolse vrouw* die in zijn leven was gekomen.
Hij keek achterom, stak z'n hand uit en sloeg voorbij het pompstation linksaf. Nu had hij de wind pal tegen. Hij kromde z'n rug en vergrootte de druk op de pedalen.
"Ik kan nu niet meer begrijpen dat ik toen bij je weg wilde",

*Zie: 'Lied van de lijster'.

had Eline hem tijdens de vele gesprekken op hun hotelbalkon verteld. Hij was daar emotioneel over geworden. Nu hij weer aan dat moment terugdacht, besefte hij plotseling dat die nacht het keerpunt was geweest. Daar, op hun balkon, met weids uitzicht over de stad, hadden ze elkaar schaamteloos uitgekleed. De vrijpartij, die daarop volgde, werd een ontlading. Een reactie op vele maanden van spanning.
Hij sloeg rechtsaf. Het korte verbindingsstraatje naar de provinciale weg zorgde voor vijftig meter wind in de rug. Hij rechtte z'n rug weer en haalde diep adem. Voortaan zou hij op de fiets gaan. Hij sloeg linksaf de provinciale weg op. Na drie kilometer naderde hij het bureau. Nog steeds kon hij niet wennen aan dat foeilelijke gebouw. Het had totaal geen sfeer. Vaak dacht hij terug aan de periode dat het bureau nog in de binnenstad was gevestigd. Een monumentaal pand, midden in de stad, waar hij zich als een vis in het water had gevoeld. Maar niets was eeuwig, bedacht hij somber. De tijd schreed voort, vandaag is morgen geschiedenis. Gedurende de tien dagen op Corsica was hij zijn werk kwijt geweest. Nu hij het deprimerende gebouw weer naderde, besefte hij dat tien dagen de wereld niet veranderden. Hij keerde terug naar wat hij had verlaten.

Toen zag hij Paula staan. Ze stond voor het raam van zijn kantoor. Haar blonde hoofd staarde bewegingloos naar buiten. Ze leek magerder te zijn geworden. Hij zwaaide, en lachte zo breed als voor hem mogelijk was. Ze zwaaide terug, maar beantwoordde niet zijn lach. Integendeel zelfs, ze keek ernstig en wendde zich af van het raam. Alsof hij een vreemde voor haar was. Het gaf hem een onbehagelijk gevoel.

Het bureau leek uitgestorven. Achter de balie zat niemand en Benders vroeg zich af hoe dit kon toen juist het kleine ronde hoofd van brigadier Van Raalte boven de balie uitkwam. 'Jezus

Frank, wat heb jij een bruine kop gekregen.'
'Ook goeiemorgen, Van Raalte. Waar is iedereen?'
'Waar ze horen, op straat. De politie hoort op straat.'
'Leuk. Is er nog wat gebeurd tijdens mijn afwezigheid?'
'Zou ik wel denken, ja.'
Benders keek hem vragend aan.
'Loop maar naar boven. Paula is net terug, ze kan wel een steuntje gebruiken.'
'Wat is er dan.....?'
'Ga nou maar, je hoort het wel.'

Benders trof Paula achter haar bureau. Ze had nauwelijks opgekeken bij zijn binnenkomst. Maar het korte oogcontact was voor hem voldoende geweest om te zien dat er iets goed mis was. Hij had zijn jas uitgetrokken en was tegenover haar gaan zitten. 'Vertel maar Paula, ik luister.'
Ze keek hem aan, zonder uitdrukking. Ze had gehuild, zag hij nu. 'Ik trek dit niet meer, Frank', zei ze.
'Wat trek je niet meer? Wat is er gebeurd?'
Ze trok haar schouders op. Ze wilde er nog niet over praten, leek ze te zeggen.
'Zal ik eerst koffie zetten?'
Ze knikte.
'Sorry, Frank', zei ze, terwijl ze haar koffie roerde.
'Geeft niet. Drink eerst je koffie maar op.'
'Hoe was het op Corsica? Wat ben je bruin geworden trouwens.'
'Corsica was in alle opzichten geweldig. Ik voel me herboren.'
'Warm?'
'Achtentwintig graden. Heerlijk.'
'Evelien Mulder is vermoord.'
Benders keek haar vragend aan. 'Evelien Mulders?'
'Mulder! Afgemaakt, als een beest. Dertien steekwonden over

haar hele lichaam.' Ze dronk haar kopje leeg en zette het met kracht terug op tafel.
Benders was opgestaan om weer koffie in te schenken. Tot zijn grote opluchting had hij gezien dat Paula's ogen weer uitdrukking hadden gekregen.
'Wanneer?', vroeg hij onder het schenken door.
'Volgens Westphal heeft ze daar zeker tien uur gelegen.'
'Wanneer vonden jullie haar?'
'Vanmorgen, half acht'
'Gaat het weer?'
'Ja. Dank je.'
'Je zei Evelien Mulder. Kende je haar?'
'Oppervlakkig. Vier jaar geleden deed ik een avondcursus Franse conversatie. Zij zat bij mij in de klas.'
'Wie vond haar?'
'Een buurvrouw. Het was haar opgevallen dat de deur openstond. Ze ging poolshoogte nemen.'
'Hebben jullie die buurvrouw gehoord?'
Paula knikte. 'Die mensen woonden er pas, ze kende ze niet.'
'Die mensen?'
'Ja. Een man en een vrouw, zei die buurvrouw.'
'Is die man...?'
Paula schudde haar hoofd. 'Geen idee. Ik heb de woningbouwvereniging gebeld om te vragen onder wiens naam die flat wordt verhuurd, maar het was nog te vroeg. Ik heb een bericht achtergelaten met het verzoek ons terug te bellen.'
Benders zuchtte en keek haar aan. 'Zal ik een weekje verlof voor je aanvragen?'
'Nee, dat hoeft niet. Het gaat wel weer, met jou erbij gaat het wel weer.'

*

Benders belde om half tien de woningbouwvereniging. Zoals gewoonlijk was de man die erover ging op dat moment niet bereikbaar, zodat hem werd geadviseerd over een half uur terug te bellen. Maar Benders gaf te kennen daar niet aan te denken. Hij eiste informatie en wel onmiddellijk. Na twee minuten op z'n bureaublad te hebben getrommeld kreeg hij z'n zin.
'Jurriaan Veldhoven, architect. Tekende op 30 september een huurcontract voor onbepaalde tijd.'
'Meer gegevens?', vroeg Benders kort.
'Zoals?'
'Getrouwd, leeftijd, vorig adres.'
'Nee, verder is ons niets bekend over deze man. Hij voldoet aan de criteria om in aanmerking te komen voor deze luxe flat. Daarbij, het ligt niet op onze weg om verdere gegevens, die onnodig de privacy van onze huurders schaden, vrij te geven. Dat zou u toch wel moeten begrijpen.'
Pas toen Benders de mevrouw met het arrogante stemgeluid vertelde, dat er een door messteken om het leven gebrachte vrouw in de flat van meneer Veldhoven was aangetroffen, veranderde haar toon. 'Jezus!'
'Is ook gestorven, ja,' reageerde Benders, 'maar neemt u van mij aan dat zijn kruisiging eerbiedwaardig te noemen is vergeleken met deze afslachting.'
Het was stil geworden aan de andere kant van de lijn.
Na een poosje vroeg een mannenstem: 'Wat kan ik voor u doen, meneer Benders?'
'Veldhoven huurt een flat van u, heb ik begrepen.'
'Van onze woningbouwvereniging. Dat hebt u goed begrepen, ja.'
'Toch staat hij bij volkshuisvestiging niet ingeschreven onder dit adres. Mogen wij daaruit opmaken, dat de heer Veldhoven deze flat op zakelijke gronden huurt?'

‘Wat bedoelt u met zakelijke gronden?’
‘Zoals ik het zeg, zakelijk, dus niet privé.’
‘Onze flats vallen onder het bestemmingsplan wonen. Als u suggereert dat de heer Veldhoven daar kantoor houdt, gaat dat buiten ons medeweten om. Maar vanwaar deze belangstelling?’
Benders vertelde de man wat er was gebeurd. ‘Ik heb zojuist bureau volkshuisvesting benaderd’, vervolgde hij, nadat de man van zijn schrik leek te zijn bekomen. ‘Deze wist te vertellen dat bij hen slechts bekend was, dat deze flat twee maanden geleden vrij was gekomen. Van nieuwe bewoners was hen niets bekend.’
‘Hebt u een momentje, meneer Benders?’, vroeg de mannenstem. ‘Ik bel u binnen vijf minuten terug.’
‘Wie is ik?’
‘Sorry, Ger van Iwaarden.’

‘Jurriaan wilde deze flat tijdelijk. Hij vroeg mij hierover nog even te zwijgen. Hij lag in scheiding en had wat tijd nodig de zaken op een rijtje te krijgen.’
Ger van Iwaarden was directeur van woningbouwvereniging De Lariks en was al vele jaren bevriend met Jurriaan Veldhoven. Van de vijf minuten uitstel had hij veertig gemaakt. ‘Ik heb toch maar besloten Ellen persoonlijk op de hoogte te brengen’, verklaarde hij z’n overschrijding.
Benders keek hem vragend aan. ‘Ellen? Wie is Ellen?’
‘Ellen is de echtgenote van Jurriaan,’ haastte hij zich te verklaren, ‘ze reageerde geschokt. Ze wist niets van een op handen zijnde scheiding. Ze vertelde dat Jurriaan al vier dagen in Barcelona zat. Hij belde haar regelmatig op, verzekerde ze me.’
Benders schatte Van Iwaarden op midden dertig. Academisch geschoold, integere uitstraling, verzorgd uiterlijk. Maar de inspecteur liep te lang mee om aan deze uiterlijkheden conclusies te verbinden. ‘Kende u Evelien Mulder?’, vroeg hij.

‘Toch niet van aannemer Mulder?’
‘Weten we niet, er zijn ons nog weinig gegevens bekend.’
‘Haar broer was aannemer, ja,’ kwam Paula tussenbeide, ‘ik herinner me dat ze me dat ooit heeft verteld. Ze werkte daar ook, toen tenminste, vier jaar geleden.’
‘Jezus, nee toch!’, riep Van Iwaarden geschrokken uit. ‘Is zij het die…’
‘Ziet er wel naar uit, ja’, zei Benders droog. ‘Kende u haar?’
Van Iwaarden knikte. ‘Evelien werkte niet alleen bij haar broer, ze was ook mede-eigenaar. Mulder heeft voor een deel van ons woningbestand een onderhoudscontract. Evelien voerde met mij de onderhandelingsgesprekken daarover.’
‘Wist u dat uw vriend…?’
‘Nee,’ onderbrak Van Iwaarden, ‘Jurriaan heeft ook nooit aangegeven dat er een ander in het spel was.’
Benders keek hem een poosje zwijgend aan. De man leek betrouwbaar. Maar een vriend, een echte vriend, daarmee bespreek je toch alles, overdacht hij peinzend.
‘Uw vriendschap met de heer Veldhoven ging dus niet zover, dat hij met u sprak over zijn escapades?’
‘Loopt u daarmee niet wat op de zaken vooruit, inspecteur?’
Benders wilde antwoorden van niet, maar werd gehinderd door een rinkelende telefoon.
‘Benders!’
‘Frank met mij, met Voortman. Ik heb hier het eerste resultaat van ons buurtonderzoek. Gisteravond rond zes uur heeft een buurvrouw een man met grote haast zien vertrekken. Zelf wachtte zij op de lift om naar beneden te gaan, maar blijkbaar duurde dat de man te lang en koos hij voor de trap, ondanks een grote koffer die hij bij zich droeg.’
‘Kon die vrouw een signalement van deze man geven?’
‘Ja, ze had hem meerdere keren gezien. Het was de nieuwe huurder.’
Benders knikte nadenkend, bedankte Voortman voor zijn infor-

matie en keek peinzend naar Van Iwaarden. 'Ellen Veldhoven heeft u de verzekering gegeven, dat haar man al vier dagen in Barcelona vertoefde?', vroeg hij nadrukkelijk.
Van Iwaarden knikte. 'Ja, hij was daar naar een congres. Andere jaren ging Ellen altijd met hem mee, maar dit keer gaf ze er de voorkeur aan thuis te blijven.'
'Dan ben ik bang dat uw vriend in grote moeilijkheden verkeert.'
Van Iwaarden keek Benders geschrokken aan. 'Jurriaan? Is hem.... ?'
Benders schudde z'n hoofd. 'Een ooggetuige verklaarde zojuist, dat de heer Veldhoven gisteravond met spoed zijn flat verliet.'
'Gisteravond zijn flat verliet?', herhaalde Van Iwaarden verbaasd.
Benders stond op en knikte. 'Of wellicht is ontvluchtte een beter woord.'
'Maar....'
'U hoort nog van ons, meneer Van Iwaarden.'

2

Marit draaide de thermostaat een paar graden hoger, ging naast Paula op de bank zitten en keek haar aan. 'Gaat het weer?', vroeg ze bezorgd.
'Het moet weer, Mar', zei ze monter. 'Zolang ik afleiding heb, gaat het wel. Maar vanmorgen, toen ik even alleen was, zat ik helemaal stuk.'
'Jullie weten zeker dat hij het was?'
Paula knikte. 'Ja,' zei ze, 'overmorgen komt Veldhoven aan op Schiphol. Hij gaat meteen voor de bijl.'
'Zonder concrete bewijzen?'
'Gelegenheid, motief, getuigenverklaring. Veldhoven moet van goede huizen komen om zich hieruit te lullen. Maar ik wil het er eigenlijk niet meer over hebben. Wil je thee?'
'Nee dank je, iets sterkers graag.'
Paula trok haar wenkbrauwen op. 'Iets sterkers? Het is donderdagavond, half acht.'
'Een whisky, Paultje.'
'Vertel het dan maar.'
'Hoe weet jij dat ik iets wil vertellen?'
Paula lachte. 'Drie jaar schat, al jouw tics zijn mij bekend.' Ze stond op, liep naar achteren en kwam terug met Marits' whisky. 'Hier, drink op en vertel het maar.' Zelf had ze een biertje gepakt en keek vragend naar haar geliefde. Marit was opgestaan en met haar glas naar het raam gelopen. Ze bleef daar staan en nam een slok van haar whisky. 'Weet z'n vrouw het al?'
'De vrouw van Veldhoven, bedoel je?'
Marit knikte.
'Ja, Frank en ik gaan morgen naar haar toe. Een bijna voorspelbare confrontatie. De bedrogen echtgenote, die in alle toonaarden zal ontkennen dat haar man vreemd zou gaan. Ik

hoor het haar al zeggen. 'Dat doet mijn man niet. U moet zich vergissen.'
'Logisch toch,' zei Marit, 'ik zou ook zo reageren als ze mij vertelden dat jij vreemd zou gaan.'
'Maar dat is toch dom en naïef, ik bedoel, er bestaan hier keiharde cijfers over. Dat het jou niet kan gebeuren is je kop in het zand steken, toch?'
'Misschien, maar soms voelt het wel goed, je kop in het zand.'
Paula lachte. 'Oké, soms, maar niet te lang, want dan stik je in je eigen bedrog. En nu voor de draad ermee, want je houdt me al genoeg aan het lijntje.'
Marit nam nog een slok, draaide zich om en keek Paula aan. 'Gek is dat toch', zei ze. 'Nu kennen we elkaar al vier jaar, toch voel ik me nog steeds ongemakkelijk als ik je iets belangrijks wil vertellen.'
'Iets belangrijks?'
'Ja, voor mij is het belangrijk, maar ik heb geen idee of dat ook voor jou geldt. We hebben er nooit eerder met elkaar over gesproken.'
'Ik luister.'
Marit haalde diep adem. 'Ik wil een kind,' zei ze zacht. 'Ik bedoel, wij samen, een kind, een gezin.'
Paula keek haar zwijgend aan, dronk haar glas leeg en voelde zich warm worden. Ze stond op en ging naast Marit voor het raam staan. Wij samen, een kind, een gezin. De woorden zweefden door haar hoofd. Ze keek dwars door de kale populieren naar boven. Het was heldere maan. Een gekoesterde wens? Zelf was ze er nooit over begonnen. Volgende maand werd het negenentwintig jaar geleden dat ze op de wereld kwam. "Een ongelukje", had haar moeder beweerd. Niet ge- maar verwenst. Hoe vaak had ze zich als kind hierover niet in slaap gehuild? Jaren geleden al had ze zichzelf voorgenomen dat dit haar nooit zou gebeuren. Graag of helemaal niet. Ze wreef in haar ogen.
'Ik heb Dylan altijd een mooie naam gevonden.'

Marit slikte. ‘Ik Lobke’, zei ze zacht, waarna ze Paula zwijgend omhelsde.
‘Mooi, Mar,’ probeerde Paula nuchter te klinken, ‘dan is dat vast geregeld.’ Wat volgde hield het midden tussen lachen en huilen. Toen werd in alle ernst een profiel van de mogelijke vader geschetst. Marit schonk nog een whisky in. ‘Iemand als Frank Benders, bijvoorbeeld’, opperde ze.
Paula knikte. ‘Zoiets ja. Intelligent, integer, zonder saai te zijn.’

3

Het kostte Benders moeite de draad van zijn politiebestaan weer op te pakken. Discipline was hem een gruwel, maar even zo goed besefte hij dat deze eigenschap onontbeerlijk was. Vanmorgen had hij de auto weer gepakt. Hij was laat geweest. Te laat voor de fiets, maar hij wist best dat het zijn gebrek aan kloten was. Het weer was omgeslagen. Het had gevroren vannacht. De eerste nachtvorst. In de tijd dat hij bezig was geweest zijn ruiten schoon te krabben had hij al lang en breed op de fiets kunnen zitten, besefte hij nu spijtig. Iets in hem vertelde dat hij zichzelf aan moest pakken, dat hij harder moest worden, harder voor zichzelf. Morgen pakte hij de fiets weer, maar tegelijkertijd twijfelde hij aan zijn eigen belofte.

*

Paula protesteerde niet toen Benders haar vroeg koffie in te schenken. Integendeel zelfs, zonder een moment te aarzelen voldeed ze aan zijn verzoek.
'Niet op de fiets vandaag?', vroeg ze niet zonder ironie.
Benders bedankte haar voor de koffie en schudde z'n hoofd.
'Te laat opgestaan, jammer genoeg.'
'Zonde, het is prachtig fietsweer, windstil en…'
'Ja, zonde', onderbrak hij nors. 'Heeft Westphal nog wat van zich laten horen?'
Paula knikte glimlachend en gaf hem het sectierapport van de vermoorde Evelien Mulder. Benders las het door. Tussen twaalf en veertien uur. Geen aanwijzingen voor een seksueel misdrijf. Het had er alle schijn van gehad dat de dader het bewust op de slagaders had gemunt. Keel, polsen, hart; het bloed moest eruit en het liefst zo snel mogelijk.
Hij schoof het rapport zuchtend terzijde. Veertien uur. Hij had

nietsvermoedend op Corsica gezeten, terwijl.... Hij sloeg met zijn vuist op het bureau. 'Het went verdomme nooit!', brieste hij.
'Moord is de waanzin ten top. Meer dan dertig jaar word ik er al mee geconfronteerd, maar het zal nooit wennen, nooit!'
'Als moord went, wordt het pas echt ernstig', reageerde Paula.
Benders keek haar aan en knikte. 'Dat is ook zo', gaf hij toe.
'We mogen er nooit onze schouders over ophalen. Heb je Teulings trouwens nog gesproken?'
'Ja. Ben heeft geen aanwijzingen, die er op duiden dat er roof in het spel is geweest. Er waren ook geen sporen van braak. In de kamer bevonden zich dozen met spullen, vermoedelijk allemaal van het slachtoffer. De dozen waren onaangetast. In een van de dozen vonden we vrij kostbare sieraden. In de kast van de slaapkamer lag een portemonnee, waarin driehonderd euro aan contant geld aanwezig was.'
Benders knikte. 'Verder geen bijzonderheden?'
'Ben Teulings had het over hondenharen. Hij heeft enkele hondenharen gevonden, maar geen hond. Geen etensbakken, geen hondenvoer. Niets dat er op kon duiden dat er een hond in de flat werd gehouden.'
'Van de vorige bewoners wellicht?'
'Je kent Ben toch.'
'Heeft hij..?'
'Navraag gedaan, ja. De huismeester verzekerde hem dat ook de vorige bewoners daar geen hond hebben gehad. De woningbouwvereniging verbiedt het houden van honden in de flat.'
Benders trok zijn wenkbrauwen op. 'Dan zal het mij benieuwen.'
'Mij benieuwen, wat?'
'Of de familie Veldhoven een hond bezit.'

*

Ellen Veldhoven deed open met een warme glimlach. Ze was groot en breed, een beetje lomp, vond Benders. Het kastanje bruine haar was ultrakort geknipt en gaf ruimte aan een open en vriendelijk gezicht. Een wijdvallende, zwarte blouse, gedragen over een spijkerbroek, maskeerde haar grote borsten en brede heupen. Niets in haar houding wees op het verdriet van de bedrogen echtgenote. Integendeel zelfs. 'Komt u verder', nodigde ze gastvrij uit, nadat Benders en van Es zich hadden voorgesteld. Ze ging ze voor door een ruime, rond ommuurde hal met daarin een open stalen spiltrap.
'Willen jullie iets drinken?', vroeg ze nadat ze beide rechercheurs verzocht had te gaan zitten.
Benders schudde z'n hoofd, waarop Paula een afwerend gebaar met haar hand maakte. 'Nee, dank u, we hebben zojuist koffie gehad.'
'U woont hier mooi, mevrouw Veldhoven', begon Benders nadat hij had plaatsgenomen.
Ellen knikte glimlachend. 'Ik heb het getroffen met mijn man, ja. Jurriaan is ontwerper. Ik weet, ik ben niet objectief, toch durf ik te zeggen dat hij goed is in zijn vak.'
Benders keek om zich heen. Het ontbreken van rechte hoeken was hem in de hal al opgevallen, maar ook hier in deze kamer werd deze stijl consequent doorgevoerd. Zelfs de aangrenzende keuken stond in een halve cirkel opgesteld.
'Uw man houdt van ronde vormen zie ik.' Hij besefte direct hoe onhandig zijn opmerking moest klinken.
Ellen keek glimlachend naar de blozende Benders. 'Mijn man haat inderdaad de hoekige, kubusachtige stijl van de afgelopen jaren', zei ze ernstig. 'Hij is ervan overtuigd dat deze zakelijke vormgeving haar weerslag heeft op het individu. "We verkillen", zegt hij. Een woning moet volgens de opvattingen van Jurriaan uitnodigen, niet afstoten. Ronde vormen zijn uit-

nodigend. Ronde vormen zeggen: kom maar binnen, hier ben je veilig.'
'Hier had het dus nooit kunnen gebeuren!', zei Paula. Benders keek haar bestraffend aan.
'Neemt u me niet kwalijk, ik....'
Ellen schudde haar hoofd. 'Geeft niet,' zei ze, 'ik ben er zelf een voorstander van de dingen bij hun naam te noemen. Ik weet met welke intentie jullie zijn gekomen. Jullie zijn ervan overtuigd dat Jurriaan de moordenaar is van Evelien Mulder. Logisch ook, ik zou vanuit uw positie hetzelfde hebben gedacht. Toch vergissen jullie zich. Jurriaan is niet de moordenaar.'
Benders keek haar onderzoekend aan. Achter dit vriendelijk open gezicht ging een grote vastberadenheid schuil.
'U zegt het op een manier alsof u weet wie de moordenaar dan wel is', zei Paula.
'Ik hoopte dat dat waar kon zijn. Het zou ons veel ellende besparen.'
'Waarom bent u zo overtuigd van zijn onschuld?', vroeg Benders.
'Jurriaan is mijn man, ik ken hem toch.'
'Dat is een zwak argument.'
De vrouw knikte begrijpend. 'Toch is hij onschuldig.'
'Laat u zich hierbij niet te veel leiden door uw gevoelens?'
Ze schudde haar hoofd. 'Ziet u de plataan, daar in onze achtertuin?' Ze wees naar de tuindeuren, waardoor Benders inderdaad een plataan ontdekte.
'Die boom is al veertig jaar oud, meneer Benders. Dit huis is het ouderlijk huis van Jurriaan. Als kinderen klommen wij al in die boom en vertelden elkaar moeiteloos onze diepste geheimen.'
Benders keek haar zwijgend aan.
'Denk wat u wilt,' vervolgde ze, 'maar ik ken Jurriaan al vanaf zijn zevende jaar. Hij kan razend worden om een zoemende mug, maar hem doodslaan laat hij aan mij over. Hij kan het niet, hij kan het onmogelijk.'

Benders bleef zwijgen en dacht na. Ze meende elk woord dat ze zei, zo leek het. Er was geen spoortje van twijfel te ontdekken.
'Toch moeten we realistisch blijven', zei hij, 'uw man heeft elke schijn tegen zich.'
Ze knikte. 'Die schijn kan ik niet voor u wegnemen', zei ze, 'ik heb gisteravond zeker drie uur met mijn man gesproken. Hij erkende inderdaad een verhouding te hebben gehad met Evelien Mulder, en bekende zelfs een scheiding te hebben overwogen.'
Benders bleef haar vragend aankijken. Niets in haar uitdrukking wees erop, dat deze boodschap haar had geschokt. 'Wat deed deze boodschap met u?', vroeg hij tenslotte.
'Het was een opluchting voor me. Ik had het erg gevonden als hij was blijven ontkennen, maar hij gaf onmiddellijk toe dat hij me had voorgelogen.'
'U doelt op zijn verblijf in Barcelona?'
'Ja. De vier dagen, waarvan hij me vertelde in Barcelona te zijn, gebruikte hij als smoes om bij zijn minnares te kunnen zijn.'
'U lijkt niet erg geschokt', zei Benders. 'Had u al vermoedens in die richting?'
Ze glimlachte. 'U hinkt nu op twee gedachten?'
'Ik wil gewoon een antwoord.'
'Nee,' zei ze ernstig, 'ik had geen enkel vermoeden. En dat verwijt ik mezelf nu. Ik had dit moeten zien aankomen. Jurriaan is een goed mens, maar heeft zijn zwakheden.'
'U accepteert het dus', zei Benders.
'Ja, waarom zou ik dat niet doen. Ik citeer een uitspraak van Gerard Reve: een mens zonder zwakheid is een monster. Ik ben overtuigd van zijn gelijk hierin.'
Benders had even tijd nodig de uitspraak van deze volksschrijver een plaats te geven en knikte toen. 'Goed,' vervolgde hij, 'u weet inmiddels dat uw man in de gelegenheid is geweest om....'

'Ja,' onderbrak ze hem, 'hij zou het gedaan kunnen hebben. Dat beseft hijzelf ook donders goed. Erger nog, hij vertelde me dat er een vrouw is geweest die hem met grote haast zag vertrekken. "Ik zou niet weten hoe ik me hieruit moet kletsen, Ellen", liet hij me gisteravond wanhopig weten.'

*

Benders en Van Es reden zwijgend de dijk over, terug naar het bureau. De Veldhovens woonden in het pittoreske dorpje Oosterleek, gelegen aan de IJsselmeerdijk op ongeveer tien kilometer afstand van het hoofdbureau in Hoorn. Beide rechercheurs waren teveel in gedachten om oog te hebben voor het spiegelende water waartegen de heldere lucht weerkaatste. Pas toen een krijsende meeuw rakelings langs de voorruit omhoog schoot, leken ze te ontwaken. 'Dat scheelde weinig, Frank', zei Paula geschrokken.
Benders knikte. 'Ja, het is link hier, even verderop zit een meeuwenkolonie, daar barst het van die beesten.'
Paula keek hem van opzij aan. 'Wat doen we nu?'
'We kunnen straks rechtsaf, dan ontwijken we de kolonie.'
'Dat bedoel ik niet, Frank', zei ze verwijtend. 'Ik bedoel, wat doen we nu met Veldhoven? Gaan we hem nog steeds aanhouden?'
'Ja,' zei Benders, 'er zijn geen nieuwe feiten die me van dit besluit kunnen afbrengen. Veldhoven geldt voor mij nog steeds als de hoofdverdachte in deze zaak. Hoewel ik moet toegeven, dat Ellen mijn overtuiging wat heeft afgezwakt.'
'Een wijze vrouw, die Ellen', zei Paula. 'Een mens zonder zwakheid is een monster. Ik kende die uitspraak niet. Er schuilt veel waarheid in.'
Benders knikte. 'Ze is overtuigd van zijn onschuld, maar niet op een naïeve manier, dat verontrust mij.'
'Waarom verontrust?'

‘Omdat ik geen trek heb in een slepend onderzoek.’
‘Bereid je daar toch maar op voor.’
‘Hoezo, denk jij dat..?’
Paula knikte. ‘Heb jij er een hond gezien dan?’
‘Ach, kom nou toch Paula, die hond kan toch met iemand zijn meegekomen. Visite of weet ik veel wat.’
‘Daar geloof ik niet in! Ze woonden er vier dagen. Het was hun liefdesnest, hun geheime liefdesnest. Dan nodig je toch geen visite uit.’
Ze reden langs de krijsende meeuwenkolonie. Benders vloekte vanwege de uitwerpselen op de autoruit en verwenste zijn fout niet rechtsaf te hebben geslagen. ‘Dat van die hond speelt voor mij geen rol’, zei hij. ‘Veldhoven blijft voor mij voor de hand liggend, hond of geen hond.’
Paula zweeg en keek haar chef hoofdschuddend aan. ‘Hoe voelde jij je toen je voor de eerste keer vader werd?’, vroeg ze plotseling.
Benders’ wenkbrauwen schoten omhoog. ‘Dat is zowat twintig jaar geleden.’
‘Ja, en? Je herinnert je toch nog wel hoe dat voelde?’
Z’n blik werd milder. ‘Joris is thuis geboren’, zei hij. ‘Je kunt het geloven of niet maar hij had bij zijn geboorte al een kop met zwarte krullen.’
Paula glimlachte. ‘Dat was m’n vraag niet. Wat voelde jij? Wat ging er door jou heen?’
‘Dat is niet te beschrijven.’
‘Probeer het eens.’
‘Het was de mooiste dag van m’n leven. De verloskundige moest me tot de orde roepen. We jankten om het hardst.’
‘Eline en jij?’
Benders schudde z’n hoofd. ‘Joris en ik.’
Ze keek hem geamuseerd aan. ‘En Eline?’
‘Ondanks haar uitputting moest ze lachen. “Laat ze maar”, zei ze tegen de verloskundige. “Het zijn mannen onder elkaar.”

Paula staarde met droomogen naar buiten. Ze staken de provinciale weg over en reden richting bureau. Mannen onder elkaar, dacht ze, dat zullen wij niet beleven.
Benders parkeerde z'n auto voor het bureau en keek Paula vragend aan. 'Vanwaar deze plotselinge belangstelling over mijn vadergevoelens?', vroeg hij.
Ze glimlachte. 'Onder ons?'
Hij stak twee vingers omhoog.
'We willen een kind. Marit en ik willen een kind. Bedankt voor je kleine college.'

4

'Ik voel me een dwaas.' Jurriaan Veldhoven ondersteunde met beide handen zijn hoofd en staarde naar de grond. 'Ja,' vervolgde hij, 'ik was verliefd op haar. En ja, ik heb met de gedachte gespeeld te scheiden. Maar evenzogoed weet ik diep van binnen, dat ik deze scheiding nooit zou hebben doorgezet.'
'Mooie woorden, meneer Veldhoven,' zei Benders, 'maar vindt u het goed dat ik deze even terzijde leg, dat ik me beperk tot de feiten?'
Veldhoven knikte en keek Benders verslagen aan.
'Wilt u geen advocaat?'
'Ellen gaat een advocaat regelen, het heeft geen haast.'
Benders keek hem aan. Grijze, eerlijke ogen. Een bril, rond, zilverkleurig montuur met minimale glazen. Gezichten van moordenaars onderscheiden zich in geen enkel opzicht van andere gezichten, had zijn oude leermeester Bambergen hem ooit voorgehouden. Het gezicht van Veldhoven leek het levende bewijs van zijn gelijk. Benders vervloekte inwendig zijn politiebestaan en verwenste Paula's afwezigheid. Toen hij terug kwam van zijn lunchpauze had er een briefje van haar op zijn bureau gelegen. Sorry, ik ben vanmiddag naar het ziekenhuis, Paula. Einde bericht.
'Waarom vermoordde u haar?', vroeg hij verder.
'Ik heb Evelien niet vermoord, ik heb haar niet vermoord.'
'U hebt een gezin, meneer Veldhoven. Een eigen bedrijf. U staat te boek als een integere persoonlijkheid. Ineens besefte u dat uw dwaling alles kapot zou maken. Alles wat met zoveel liefde was opgebouwd. Immers, u hield van uw vrouw, van uw gezin. U vertelde Evelien dat het over moest zijn. U vertelde haar dat het afgelopen moest zijn met de relatie. Maar ze lachte. Ze lachte u uit. Ze zei dat u dit niet kon menen. Dat u niet moest denken, dat u zomaar van haar af was. Uw reac-

tie hierop is even begrijpelijk als verwerpelijk, maar....'
'Stopt u maar, meneer Benders', onderbrak Veldhoven zonder stemverheffing. 'Uw theorie is aannemelijk, maar klopt niet. Dat besef, waarover u het had, was inderdaad tot me doorgedrongen. Ik had me ook voorgenomen een einde aan deze relatie te maken. Maar niet toen, niet toen ik afscheid van haar nam om naar Barcelona af te reizen. De teleurstelling, dat ze niet mee kon, was al groot genoeg voor haar. Ik wilde haar dat niet aandoen, niet op dat moment tenminste.'
'Waarom kon ze niet mee?'
'Ze was ziek, griep, hoge koorts, het zou onverantwoord zijn geweest.'
'Uw vrouw ging andere jaren altijd mee vertelde uw vriend. Waarom was het dit jaar anders?'
'Is deze vraag relevant?'
'Nee, u hoeft hierop geen antwoord te geven, als u dat niet wilt.'
Veldhoven bleef enkele seconden peinzend voor zich uit kijken, alsof hij Benders' suggestie overwoog.
'Ellen wilde Bas niet alleen laten', zei hij tenslotte.
'Bas?'
Hij knikte. 'Onze zoon. Bas zit in een moeilijke fase van zijn leven. Hij is veertien en komt er langzaam achter dat hij anders is dan anderen.'
'Hoe bedoelt u?'
'Bas is overactief. Kan zich moeilijk concentreren en heeft daarom ook leerproblemen. Hij heeft op de Lom-school gezeten en is dit jaar gestart op het LBO. Hij heeft het zelf nooit met zoveel woorden gezegd, maar wij zijn ervan overtuigd dat hij daar niet op zijn plaats is.'
'Niet op zijn plaats is?'
'Hij wordt er gepest.'
Benders zag de zorgelijke frons op zijn voorhoofd en knikte. Hij dacht aan zijn eigen zoon, aan Joris, ook hij werd gepest

op de middelbare school. Gepest, omdat hij had verteld dat zijn vader bij de politie was. Hij keek Veldhoven weer aan. De man keek gespannen, overspannen. Het leek hem weinig zinvol Veldhoven in dit stadium al vast te houden. Zijn verzoek hiertoe zou ongetwijfeld worden ingewilligd, maar gesteld dat hier de moordenaar van Evelien Mulder tegenover hem zat, dan hoefde hij van deze man niets te vrezen. In dat geval zou Veldhoven binnen niet al te lange tijd bij hem aankloppen, gewoon omdat zijn geweten dat van hem zou eisen.
'Dit was het dan wel, meneer Veldhoven', zei Benders. 'Wat mij betreft kunt u gaan, met dien verstande dat u zich wel beschikbaar moet houden gedurende het onderzoek.'
Veldhoven keek hem ongelovig aan. 'Ik…. , ik kan gaan, zei u?'
Benders stond op en knikte. 'Als u niet meer weet dan wat u me tot nog toe hebt verteld, dan kunt u gaan, ja.'
Veldhoven bleef zitten. Benders zag hem nadenken.
'Ik heb Evelien niet vermoord, inspecteur', zei hij tenslotte. 'Maar ik voel me wel schuldig aan haar dood. Ik had haar nooit alleen mogen laten.'

*

'Daar kunnen we dus weinig mee', zei Paula nuchter. 'Als Evelien werkelijk ziek was en met hoge koorts thuis moest blijven, kun je je inderdaad afvragen waarom Veldhoven haar onder die omstandigheden alleen achterliet.'
Benders schudde z'n hoofd en zei dat hij dat wel kon begrijpen.

Hij had gistermiddag nog wat nagepraat met Veldhoven. De man was heel open geweest. Als architect voelde hij zich gefrustreerd. Noodzakelijkerwijs werkte hij aan opdrachten waarin hij te weinig van zijn creativiteit kwijt kon. Zijn grootste opdrachtgever was de overheid. “Functioneel is daar het sleutelwoord, meneer Benders. Als ontwerper kan ik daar m’n ei niet kwijt. Maar ja”, had hij daar zuchtend aan toegevoegd. “Ik heb een gezin en een hypotheek. Soms voelt dat als ketens.” Benders had hem gezegd dat te begrijpen en voor zichzelf uitgemaakt dat Jurriaan Veldhoven niet de man was die ze zochten.

‘Ze had griep’, vervolgde Benders. ‘Dat is niet leuk, maar ook niet levensbedreigend. Zijn aanwezigheid had niets kunnen bijdragen tot haar herstel.’
‘Maar hij was haar minnaar!’, bitste Paula. ‘Als Veldhoven werkelijk zo’n bezorgd type is als jij zegt zou hij bij haar zijn gebleven, ervan uitgaande dat hij nog steeds om haar gaf tenminste.’
‘Hij gaf om haar ja, daarvan ben ik overtuigd. Maar soms moet je keuzes maken. Hij had nog een liefde, een liefde die het op dat moment won van Evelien.’
Paula keek hem niet begrijpend aan. ‘Hij had nog een liefde?’
‘Ja,’ zei Benders, ‘Jurriaan is helemaal idolaat van Gaudí. De architect Antoni Gaudí. Zijn grote voorbeeld of, zoals hij dat zelf noemde, zijn inspiratiebron. Barcelona is de bakermat van deze legendarische architect.’
Paula keek hem onderzoekend aan. ‘Jij bent helemaal om, zeker?’
Benders knikte traag. ‘Als ik eerlijk moet zijn, ja. Ik kan me niet indenken dat deze man met dertien messteken zijn minnares heeft omgebracht.’
‘Dan ben je snel van mening veranderd.’
‘Als je er gistermiddag bij was gebleven, zou je nu hebben begrepen waarom.’
Paula stond zwijgend op en liep naar het raam. ‘Dat had ik beter wel kunnen doen, ja’, zei ze.
Benders hoorde de sombere ondertoon en was bij haar gaan staan. ‘Hoezo? Wat is er gebeurd, je moest naar het ziekenhuis, maar…’

'Niets!', onderbrak ze luid. 'Dat is het juist, er is niets gebeurd. Ze hebben ons ingeschreven. "Het kan nog wel even duren", zeiden ze.
Benders keek haar niet-begrijpend aan. 'Ze hebben jullie ingeschreven?'
'Ja, Marit en ik hadden een afspraak met een gynaecoloog. Ik heb je toch verteld dat we een kind wilden.'
'Ja, maar....'
'Daar heb je een zaaddonor voor nodig, ja. Maar zaaddonoren zijn schaars tegenwoordig. Sinds de wet van kracht geworden is dat zaaddonoren niet meer anoniem mogen blijven, hebben de heren zich massaal teruggetrokken.'
'Ja, maar Jezus, Paula, je kunt toch adopteren.'
'Waarom? Dat hebben Eline en jij toch ook niet overwogen.'
Benders ging er niet op in, maar schudde z'n hoofd. 'Wie van jullie gaat het dragen?'
'Marit, ze is onderzocht. Ze kan zo zwanger raken als wat.'
Hij keek haar aan. De felheid waarmee ze sprak vertelde alles over haar verlangen, maar over die anonimiteit van zaaddonoren kon hij zich ook iets voorstellen. Hij moest er niet aan denken. 'Hoelang kan het dan duren?'
'Te lang, daar kunnen we niet op wachten.'
'Jullie zullen wel moeten.'
'Waarom? Marit is een aantrekkelijke vrouw. Het is niet onze eerste keus, maar als het niet gaat zoals het moet, dan moet het maar zoals het gaat.'
'Donder op Paula, dat meen je niet.'
Wat dan? Heb jij een beter idee? Marit is vierendertig.'
'En wil nog graag een tijdje mee, mag ik hopen.'
Paula keek hem geschrokken aan.
Benders stond op. 'Ga je mee?'
'Wat bedoel je?'
'We gaan naar de grote broer van Evelien Mulder.'

*

Paul Mulder was midden veertig. Groot, gezet, grijzend aan de slapen. De tafel, waaraan hij zat, lag bezaaid met bouwtekeningen. Mulder had tegen Benders gezegd er geen probleem mee te hebben de rechercheurs in zijn directiekeet te ontvangen. "Ik heb niets te verbergen", had hij gezegd, "wat ik u vertel mag door iedereen worden gehoord."
Hij verwelkomde ze met een gemaakte glimlach. 'Wat kan ik voor onze dienders betekenen?', vroeg hij. 'Een vrijstaand huisje, een villaatje wellicht?'
Benders hoorde de spottende ondertoon. 'Doe maar twee koffie', reageerde hij kalm.
Even leek de aannemer uit het veld geslagen, maar weldra keerde z'n geoefende glimlach terug.
'Wat u wilt, meneer Benders. Clara!' Zijn schreeuw richting een naastgelegen vertrek werd onmiddellijk beantwoord. In de deuropening verscheen een vrouw van middelbare leeftijd met een blozend gelaat. 'Clara, wil jij hier twee koffie brengen voor deze dienders, en graag een beetje snel want onze tijd is beperkt.' De vrouw gaf een korte knik en liep langs hen heen naar de keuken.
Mulder keek haar zuchtend na, waarna hij een snelle blik op zijn horloge wierp.
'Ik heb een kwartier voor jullie', zei hij. 'Om elf uur heb ik een bouwvergadering, dus ik zou zo zeggen, steek maar van wal.'

Benders schraapte z'n keel. Het was zijn idee geweest met de aannemer te gaan praten. Paul Mulder was de oudere en enige broer van Evelien. Van hem hoopte hij een beeld te krijgen van het slachtoffer. Hij keek de aannemer onderzoekend aan. Wat hij aan foto's van het slachtoffer had gezien, leek de man in niets op zijn zuster. De stierennek en het pafferige gelaat

stonden zelfs haaks op het verfijnde gezicht van zijn tien jaar jongere zuster.
'Allereerst nog mijn deelneming', begon Benders. 'Evelien was uw enige zuster, heb ik begrepen. Dit moet een groot verlies voor u zijn.'
Mulder maakte Benders met een wegwerpgebaar duidelijk, dat hij wat hem betrof deze plichtplegingen achterwege kon laten. 'Graag to the point, Benders', zei hij kort.
'Wat was uw zuster voor een mens?', reageerde Benders onmiddellijk.
'Wat was mijn zuster voor een mens?', herhaalde de aannemer. 'Het was mijn zus. Ze was financieel directeur van ons bedrijf. Voor haar taak berekend zou ik zeggen. That's it.'
Benders hield z'n verachting binnen 'Had ze, voor zover u bekend, vijanden? Vijanden die haar naar het leven stonden.'
Mulder schudde z'n hoofd. 'Nee, niet dat ik weet. Veldhoven in elk geval niet.'
'U wist dat hij haar minnaar was?'
'Ja, kom nou Benders, ik heb m'n ogen niet in m'n zak zitten.'

Clara kwam binnen met koffie. Achter haar stapte een man de directiekeet binnen. Hij droeg een blauwe overall en op z'n hoofd balanceerde een witte helm. Met een verhit gezicht keek hij naar Mulder. 'We halen het niet, Paul', zei hij. Z'n stem klonk hees en gejaagd. 'Die vlechters zijn met twee man, dat redden ze nooit. Ik ga dat beton afbestellen.'
Mulder stond met een ruk op. 'Jij gaat godverdomme niks afbestellen, Van Dam! Jij gaat gewoon zorgen dat het vlechtwerk erin komt, voor mijn part gaan ze vannacht door. Afspraak is afspraak!'
De man in de blauwe overall zuchtte. 'Dan nog wat, Paul,' zei hij gelaten, 'Witteveen heeft die kolombewapening afgekeurd, te weinig dekking.'

Mulder schudde zuchtend z'n hoofd. 'Stuur Witteveen straks maar naar mij toe, en laat ons verder met rust wil je, ik ben in bespreking.'
Benders zag hoe Van Dam als een geslagen hond de directiekeet verliet. Mulder was weer gaan zitten en keek een ogenblik peinzend voor zich uit. 'Goed,' zei hij toen, 'waar waren we gebleven?'
'Veldhoven in elk geval niet', herinnerde Benders hem.
'Oh ja. Nee dat is inderdaad onzin. Ik begreep dat alle schijn zich tegen hem keert, maar nee, Jurriaan als moordenaar moet u vergeten, geloof me.'
'Van wie hoorde u dat alle schijn zich tegen hem keert?' De vraag kwam van Paula. Benders hoorde aan haar toon dat ze helemaal klaar was met Mulder.
'Ik sprak Van Iwaarden', antwoordde Mulder. 'Hij vertelde me wat er zich had afgespeeld. Erg vervelend voor Jurriaan, ik hoop niet dat de detailtekeningen voor het zwembad hierdoor teveel vertraging oplopen.'
Benders zag Paula's bloed omhoog stijgen. 'Uw zuster is dood, heer Mulder!', krijste ze. 'Vermoord! En u raaskalt over tekeningen die vertraging op zouden kunnen lopen. U moest uw ogen uit uw kop schamen!'
Mulder reageerde niet. Hij keek met staalharde ogen van Benders naar Van Es en daarna op z'n horloge. 'Mag ik de dame en heer verzoeken. Uw tijd is om.'

*

Benders bleef tot laat in de middag op het bureau. Buiten werd het donker. Paula was naar huis. Hij dacht terug aan haar woorden. "Wat een monsterlijke man, die aannemer." Hij had niet anders gekund dan dit beamen. Mulder leek een man zonder enig gevoel. Een keiharde, zonder ruimte voor zwakheden. Hoe zei Ellen dat ook al weer, oh ja, een mens zonder zwak-

heden is een monster. Maar gold dat wel voor Mulder? Had Mulder werkelijk geen zwakheden? Dat hij ze niet toonde, wilde nog niet zeggen dat hij ze niet had. Zijn gedrag kon een pose zijn, een scherm dat het verdriet om de dood van zijn zuster moest maskeren. Misschien dat hij thuis, in zijn eigen domein, zijn verdriet de volle ruimte gaf. Zijn hart uit zijn lijf jankte om het verlies van zijn vermoorde zuster.
Benders zwoer zichzelf hierachter te komen en toetste het privénummer van Mulder in.

*

De aannemer woonde in een buitenwijk van Hoorn. Een villapark, waarin de woningen leken te strijden om grootte. Die van Mulder won. De enorme, uit wit natuursteen opgetrokken villa, torende hoog boven de rest uit. Mulders' villa leek een symbool voor het succes van de jaren negentig. Jaren, waarin de hoogconjunctuur vooral de aannemersbedrijven een stevige wind in de rug had bezorgd.
Een vrouw, begin veertig, opende de deur voor zover de ketting dat toeliet. Ze nam Benders op met de blik van een keurmeester. Hij noemde zijn naam en toonde zijn legitimatie. De ketting werd losgemaakt en de deur zwaaide open. Gewogen en in orde bevonden, dacht hij en stapte naar binnen. Hij zag onmiddellijk dat deze vrouw de juiste partij voor de aannemer was. Haar ogen boorden dwars door hem heen.
'U bent dus meneer Benders?'
Hij knikte en stak z'n hand naar voren.
'Ada Mulder', zei ze z'n hand negerend. 'Komt u maar verder, u kunt uw jas daar kwijt.' Ze wees naar een garderobekast achter in de hal.
'Paul is nog even aan het telefoneren, hij komt zo bij u', zei ze, terwijl ze hem voorging naar een kamer die ondanks zijn afmetingen huiselijk en smaakvol was ingericht.

'Wat wilt u drinken, meneer Benders? Koffie? Thee? Iets sterkers misschien?'
'Nee, doet u geen moeite, ik wil proberen het kort te houden.'
'Dat zal u niet moeilijk vallen bij Paul.'
Benders zag een glimlach doorbreken. Haar ogen drukten even vertedering uit. Ada was gek op haar monster, zoveel was duidelijk.
'Ik begrijp dat u het onderzoek leidt naar de moord op Evelien?'
Benders knikte. Hij was gaan zitten op de plaats, die Ada hem had aangeboden, en keek de vrouw onderzoekend aan. Eénhooguit tweeënveertig, schatte hij. Klein, kort geknipt haar en bruine, bijna zwarte ogen, die hem op hun beurt nu ook leken te observeren.
'Paul is er kapot van', zei ze. 'Ik maak me zorgen om hem.'
'Waar maakt u zich zorgen over?'
Ze keek een ogenblik zwijgend over hem heen. 'Ik ken Paul', zei ze. 'Dit raakt hem dieper dan dat hij zelfs tegenover mij zou toegeven.' Ze zweeg plotseling. Benders zag haar blik over z'n schouders gaan. Hij draaide zich om. In de deuropening stond de aannemer. Hij knikte vriendelijk naar Benders en wendde zich toen tot zijn vrouw.
'Had je meneer Benders al wat aangeboden, Ada?'
Ze knikte en zei dat inspecteur Benders had bedankt.
Met stijgende verbazing zag Benders hoe de enorme gestalte van Mulder zich tegenover hem in een stoel liet zakken. 'Ik luister, Benders.' Het klonk haast gedwee.
Benders schraapte z'n keel en knikte naar de vrouw toen ze hem voor de tweede keer een borrel aanbood. 'Een cognac graag.'

'Uw zuster, meneer Mulder. Wat was dat voor een vrouw?'
'Paul.'
'Wat was ze voor een vrouw, Paul?'
'Evelien was een schat. Het was m'n kleine zusje. Tien jaar

verschil meneer Benders, dat is veel. Ik was haar grote broer, dat schept verplichtingen.'
'Zoals?'
'Bescherming. Evelien was mooi en aantrekkelijk. Mannen zwermden als krolse katers om haar heen.'
Benders nipte aan zijn cognac. Hij dacht aan zijn zoon, aan Joris. Hoe hij het had opgenomen voor zijn zuster toen bleek dat ze bedonderd werd door haar vriend. Joris had die jongen in elkaar geslagen. Een onbezonnen daad, waarvoor hij was gestraft. Toch was hij in z'n hart trots op zijn zoon geweest.
'Wat wilde jij daartegen doen? De natuur gaat z'n gang toch wel.'
'Dat bleek wel, ja.' Mulder gaf z'n lege whiskyglas aan z'n vrouw en keek Benders gelaten aan.
'Ze was achttien toen ze hem ontmoette', vervolgde hij.
'Wie ontmoette?'
'Cor Lakeman, een sloper. Ik kende hem. Waarschuwde haar voor hem. Maar voor het eerst negeerde ze me. Ze trouwde met hem toen ze twintig was. Tien jaar heeft het geduurd. Tien jaar ellende.'
Benders wachtte tot hij z'n whisky weer had aangepakt en een slok had genomen.
'Je zei tien jaar ellende. Waar bestond die ellende uit?'
'Hij mishandelde haar', antwoordde Mulder. 'Ze ontkende het, steeds kwam ze met andere smoezen. Tot drie jaar geleden, ze was drie maanden zwanger en kreeg een miskraam.'
'Ze is toen bij hem weggegaan?'
Mulder slikte, keek z'n vrouw aan, knikte naar haar en zette z'n lege glas op tafel. 'Ja,' zei hij bitter, 'pas nadat hij z'n hond op haar zwangere lichaam had losgelaten werd het haar duidelijk. Hoewel, toen heeft het nog een jaar geduurd eer ze tot inzicht kwam.'
Benders keek de aannemer onderzoekend aan. Dus toch een pose, overdacht hij. Alle branie leek van zijn gezicht te zijn

gesmolten. Tegenover hem zat een gebroken man. Een sterke broer die niets meer kon betekenen voor zijn vermoorde zusje.

*

Het kostte Benders moeite om Paula te laten geloven dat die Mulder wel meeviel.
'Ik denk dat we bij onze eerste ontmoeting slechts zijn masker hebben gezien', zei hij. 'Mulder is kapot van de dood van zijn zuster.'
Paula was opgestaan en liep naar het raam. 'Volgens Mulder heeft die Lakeman dus zijn hond op haar afgestuurd?', vroeg ze naar buiten starend.
'Ja, Evelien kreeg daarop een miskraam. Mulder drong er bij z'n zuster op aan om aangifte te doen, maar ze weigerde dit.'
'Waarom?'
'Haar broer was daar duidelijk in. Bang, doodsbang dat hij haar wat aan zou doen.'
Paula draaide zich om. 'Ze ging dus verder met een man die haar kind heeft vermoord?', vroeg ze verbaasd.
Benders knikte. 'De relatie hield nog een jaar stand, daarna vroeg Evelien een scheiding aan.'
'Dat werd dan ook wel tijd', reageerde Paula fel. 'Tien jaar vernederingen en een miskraam. Ik zou het met een dag al bekeken hebben.'
Benders schudde z'n hoofd. 'Je moet dat niet onderschatten Paula, zoiets gaat heel sluipend. Duizenden vrouwen ondergaan nog dagelijks hetzelfde lot. Ze onderkennen het te laat. In veel gevallen is er dan nauwelijks een weg terug en zitten ze gevangen in hun eigen angst.'
'Waarom? Evelien had uiteindelijk toch ook de moed eruit te breken?'
'Ja, zo zou je dat kunnen zeggen. Het is alleen niet te hopen

dat die moed haar uiteindelijk noodlottig is geworden.'
'Je bedoelt…?'
Benders knikte. 'Als Paul de waarheid heeft gesproken, zijn alle ingrediënten voor zo'n veronderstelling aanwezig.'
'En heeft hij dat?'
'De waarheid gesproken, bedoel je?'
'Ja.'
Benders stond op. 'Ik weet het niet', zei hij. 'De Mulder, die ik gisteravond sprak, leek in niets op de Mulder die we gistermiddag spraken.'
'Wil de ware Mulder opstaan.'
'Zoiets, ja.'
'Het kan zijn dat hij alleen op z'n werk zo is', zei Paula. 'Ik bedoel dat hij op z'n werk de harde jongen speelt, het is natuurlijk wel een machowereldje, die bouw.'
'Een soort overlevingsstrategie.'
'Ja, de sterkste wint. De grootste bek heeft het laatste woord.'
Benders keek naar buiten. Het was gaan regenen zag hij. Hij plukte z'n jas van de kapstok en wenkte Paula. 'We zullen zien. Ga je mee?'
'Mee, waar naar toe?'
'Kijken wat die sloper heel houdt van Mulders' beweringen.'

*

Het sloopbedrijf van Cor Lakeman was gevestigd op het industrieterrein van Hoorn-West. Achter de door hoge hekken afgebakende opslagplaats lag het sloopafval keurig geordend te wachten op zijn hergebruikers. Houten balken, deuren, gebikte stenen, pannen, tegels. Alles wat goed genoeg werd geacht een tweede leven te leiden lag hier, zo leek het. Benders had een stalen toegangshek geopend en liep zoekend het terrein op. Hij kon niets ontdekken om zijn aanwezigheid kenbaar te maken en liep op goed geluk naar een achter op het terrein

gelegen caravan. “Ik ben op de werf”, had Lakeman hem laten weten toen Benders vanuit de auto belde. “Het kan natuurlijk zijn dat ik op het moment van jullie bezoek bezig ben met klanten, maar dan moeten jullie maar even geduld hebben want bij mij gaan de zaken voor het meisje. Zijn stem had vriendelijk geklonken. Hij had eraan toegevoegd begrepen te hebben waarom ze langskwamen. “Ik hoorde het gisteren van kennissen die mij van het vliegveld haalden, ik was me rot geschrokken.”
Daarmee had Lakeman alvast een alibi verschaft, besefte Benders.

‘Ach, daar zijn jullie.’ Achter een hoop stenen kwam een man tevoorschijn. Klein van stuk, gehuld in een blauwe overall. Over zijn hoofd droeg hij een zwarte baseballpet, waarop het opschrift Runners stond te lezen. ‘Ja sorry, ik heb jullie niet aan horen komen. Ik was bezig die boerengeeltjes te tellen’, excuseerde hij zich. ‘Zo-even belde een klant’, vervolgde hij. ‘De man had er vijfduizend nodig, maar dat red ik niet, het zijn er hooguit vier.’ Hij wees naar de tas stenen voor hem. ‘Spijtig, hij bood goed geld, ik had ze wel willen lozen voor die prijs.’
Benders las de spijt in zijn ogen. Donkere, vriendelijke ogen in een verweerd gezicht.
‘Als ik zo vrij mag zijn, meneer Lakeman’, zei Benders. ‘Wat kost nou zo’n steentje?
‘Die man bood drieduizend euro voor vijfduizend stuks, dat is toch ‘n kleine zeven ruggen.’
Benders floot tussen z’n tanden. ‘Slechte dag voor u dus.’
Lakeman trok z’n schouders op. ‘Ik heb slechter nieuws te verwerken gekregen gister. Hoever zijn jullie trouwens?’
Benders keek om zich heen. ‘Kunnen we ergens rustig praten?’, vroeg hij.
Lakeman knikte richting caravan. ‘Laten we daar maar gaan zitten, dan zet ik even koffie.’ Hij liep voor Benders en Van

Es uit en klapte tweemaal in zijn handen. Aron, waak!!' Het galmde over het terrein. Een reusachtige blonde bouvier kwam van achter de caravan aanhollen. Het beest liep als geprogrammeerd door het sloopafval richting hek en posteerde zich als een onneembare veste voor de ingang.
'Dat is mijn bel', grapte Lakeman. 'Aron doet geen mens kwaad. Hij slaat alleen aan als er mensen het terrein op willen komen.'
'Kost u dat geen klanten?', vroeg Paula.
De sloper schudde zijn hoofd. 'Mensen, die echt iets willen, komen terug', zei hij, terwijl hij de deur van zijn caravan opende. 'Kom binnen en neem plaats. Wat willen jullie drinken?
De rechercheurs kozen beiden voor koffie. In de sober ingerichte caravan drong het licht van een aarzelend zonnetje naar binnen. Benders zat opgevouwen in de hoek. Zijn knieën raakten Paula's benen, waarop hij onder een mompelend "sorry" probeerde ze naar binnen te trekken. Paula lachte om deze halfslachtige poging en gaf hem een knipoog.
Lakeman keek onder de klep van z'n baseballpet naar zijn bezoekers en vroeg hoe ze hun koffie wilden.
'Beide zwart, alstublieft', zei Benders. De man knikte. Benders vreesde dat Lakeman niet van plan was zijn baseballpet af te zetten. Hij haatte die petten met grote kleppen. Het belette hem de man in zijn ogen te kijken.
'U bent zo te zien ook op vakantie geweest', zei Lakeman, terwijl hij de koffie op het tafeltje zette. 'Zo bruin als u ziet, bedoel ik', vervolgde hij. 'Dat kan nooit van de Hollandse zon zijn gekomen.'
Benders knikte glimlachend. 'Dat hebt u goed gezien. Tien dagen Corsica, heerlijk.'
Lakeman was naast Paula gaan zitten, draaide de klep van zijn pet naar achteren en keek beide rechercheurs beurtelings aan.
'Maar ik neem aan, dat u het over heel andere dingen wilt hebben', zei hij ernstig.
Benders schraapte zijn keel. 'Ja,' zei hij, 'Evelien Mulder, uw

ex-vrouw. Zoals u inmiddels weet, is ze…'
'Bespaart u mij de details, inspecteur', onderbrak Lakeman zuchtend. 'Ik weet wat er is gebeurd. Evelien is dood, vermoord, terwijl ik nietsvermoedend vakantie vierde op Aruba, afschuwelijk.'
Benders knikte. Hij wist nu zeker dat hij een belangrijke vraag achterwege kon laten. Lakenman zat op Aruba. Als verdachte viel hij dus af. Hij begon teleurgesteld aan zijn koffie.
'Ik begrijp dat een deel van uw bezoek tevergeefs is', zei Lakeman alsof hij Benders' gedachten had gelezen. 'Maar als ik iets kan toevoegen aan uw speurtocht naar het beest dat dit op zijn geweten heeft, sta ik volledig tot uw beschikking.'

'We zijn bij uw ex-zwager geweest', nam Paula over.
'Paul Mulder?', vroeg hij verrast. 'Wat wist hij te vertellen?'
'Als zijn verhaal waar is, zou ik u amper naast me dulden', antwoordde Paula.
Lakeman lachte en schudde zijn hoofd. 'Blijf maar rustig zitten dan', zei hij veelbetekenend.
Benders keek belangstellend op. 'Verklaart u eens nader, wij luisteren.'
'Mulder en ik, wij lagen elkaar niet zo. Ik wil zelfs zover gaan, dat de invloed van Paul op zijn zus tot onze scheiding heeft bijgedragen. Maar goed, dat is een gepasseerd station.'
'Voor Mulder niet.'
'Mulder is een rancuneuze stakker. Maar hou me te goede, ik heb respect voor wat die man heeft opgebouwd. Toen hij het eenmansbedrijfje van z'n vader overnam, stelde het nog weinig voor. Hij heeft er in tien jaar tijd een bedrijf van gemaakt, dat in heel Noord-Holland een begrip is. In die zin zeg ik, petje af.'
Benders keek hem vragend aan. 'Maar?', moedigde hij aan.
'Laat ik het zo zeggen: de wijze waarop hij dat deed, verdient wat mij betreft geen schoonheidsprijs.'

‘Legt u dat eens uit.’
‘Mulder manipuleert. Naarmate zijn bedrijf groeide en zijn macht toenam, werd dit erger.
‘U zegt, hij manipuleert’, onderbrak Benders. ‘Wat bedoelt u daar precies mee?’
Lakeman zuchtte. ‘Hij heeft het met mij ook geprobeerd. Voordat hij een prijs aanbood bij een inschrijving, informeerde hij bij de diverse onderaannemers of ze ook interesse hadden in die klus. Of ze dan ook een prijs bij hem op tafel wilden leggen voor de betreffende onderdelen. En steevast werd er dan gevraagd hun prijs scherp te houden, met de belofte dat ze konden rekenen op lucratieve vervolgopdrachten. Beginnende onderaannemers zijn daar heel gevoelig voor.’
‘Maar die lucratieve vervolgopdrachten kwamen nooit’, zei Paula.
‘Precies. Met de laagste inschrijver ging hij dan om tafel zitten om vervolgens de al veel te lage prijs nog meer uit te knijpen. Het vervolg kunt u raden.’
Benders knikte. ‘Mulder heeft dus een hoop vijanden.’
‘Er zijn er die zijn bloed wel kunnen drinken, ja.’
‘Zoals u?’, vroeg Paula.
‘Nee. Ik kan er gelukkig om lachen. Zoals ik u al zei: Mulder is voor mij een gepasseerd station.’
Benders keek hem zwijgend aan. Hij geloofde de sloper.
‘Evelien was gek op haar grote broer’, vervolgde Lakeman. ‘Ze zag niet wat voor een man hij werkelijk was. Ze zag niet dat ook zij werd gemanipuleerd. Toen ik hem vier jaar geleden liet vallen als klant, heeft hij alles in het werk gesteld ons uit elkaar te drijven. Het moet gezegd, ik dronk in die periode. In die zin ben ik zelf ook schuldig aan de scheiding, dat wil ik gerust bekennen. Drie jaar geleden verloren wij ons kind door een miskraam. En dat, terwijl we al zolang op een kind wachtten. Ik kon dat slecht verwerken en verviel daardoor in een eerdere slechte gewoonte door naar de fles te grijpen.’

Hij staarde voor zich uit. 'Dat was natuurlijk stom', zei hij zuchtend. 'Ik heb daarmee kapot gemaakt wat ik liefhad.' Een wrange glimlach verscheen rond zijn lippen. 'Maar blijkbaar is dat mijn lot', vervolgde hij gelaten. Hij keek beurtelings van Benders naar van Es. 'Tenslotte ben ik sloper', verklaarde hij vol zelfspot.
Benders keek hem meewarig aan. Hij vroeg zich juist af of het zinvol was deze man nog verder te ondervragen, toen hij Paula hoorde vragen of het waar was dat hij zijn ex-vrouw had mishandeld.
Lakeman keek haar geschrokken aan. 'Komt dat van Mulder?'
Paula knikte. 'Mulder beweerde ook, dat u schuldig was aan de miskraam van zijn zuster.'
De sloper stond met een ruk op. Even leek het erop, dat hij Paula een draai om haar oren wilde verkopen. 'De schoft!', riep hij. 'Hoe durft hij.'
'Niet waar dus?', vroeg Benders.
Lakeman ging weer zitten. 'Nee! Dat is een pertinente leugen. Ik heb haar nooit mishandeld.'
'En haar miskraam?', hoonde Paula. 'Ook verzonnen zeker?'
Lakeman stond weer op. Hij opende de deur van de caravan en keek verslagen naar buiten. Benders vatte het openen van de deur op als een sein om te vertrekken. Hij kon zich voorstellen, dat de man nu de behoefte voelde even alleen te zijn. Hij stond op en wenkte Paula hem te volgen. Maar Paula bleef zitten en keek afwachtend naar de starende sloper.
'Op een dag kwam Evelien hier onverwachts de werf op', begon Lakeman plotseling. 'Het was een stralende dag. De zon scheen. Ik was met een klant bezig, de deur van de caravan stond open. Ik zag haar aankomen. We zwaaiden naar elkaar. Aron lag voor het hek. Hij was gek op Evelien. In zijn tomeloze enthousiasme sprong hij tegen haar op, ze viel en kwam terecht op een stalen balk.'
Lakeman trok de deur met kracht weer dicht, alsof hij de gebeur-

tenis voorgoed uit zijn geheugen wilde wissen. ‘Maar Mulder heeft dat verhaal nooit willen geloven.’

5

'Frank heeft gelijk Marit, het is te gevaarlijk om met de eerste de beste kerel naar bed te gaan, puur om zwanger te worden.'
Marit keek haar verongelijkt aan. 'Wie heeft het over de eerste de beste? Ik ken genoeg mannen waar ik m'n handen voor in het vuur durf te steken.'
'Doe niet zo naïef, Marit. Het is het niet waard. Jouw leven is mij dat niet waard.'
'Wat wil je dan? Wachten? Wachten op het grote wonder? Wachten tot de prins op het witte paard langs komt met z'n buisje sperma? Wie is er hier nou naïef? We willen toch een kind? Of niet soms?'
'Maar niet ten koste van alles, Marit!' zei Paula hard. 'En daarbij, denk eens door. Ons kind komt op een dag onherroepelijk met de vraag wie zijn vader is. Wat zeg je hem dan?'
'Wat nog miljoenen vrouwen voor mij hebben geantwoord: ik weet het niet!!'
'Maar je weet het wel!!', brieste Paula.
'Nou en!!'
'Op een dag staat een man bij ons kind op de stoep met de boodschap: ik ben je vader. En dan?'
Marit stond met een ruk op. 'Ik ga naar m'n atelier!', riep ze kwaad. 'Ik ben deze discussie zat.' Ze liep met grote passen de kamer uit. Een ogenblik later hoorde Paula de voordeur met kracht in het slot vallen.

Paula's woede over zoveel onredelijkheid uitte zich in het verzetten van bergen werk. Werk, dat de afgelopen maanden uit pure gemakzucht was blijven liggen. Ze had zich deze zaterdag heel anders voorgesteld. De zon scheen, het was weliswaar koud buiten, maar dit kraakheldere weer leende zich uit-

stekend voor een lange strandwandeling. En daarbij, ze kon wel wat ontspanning gebruiken. De zaak Mulder zat zo vast als een huis. Cor Lakemans' alibi was nagetrokken. Hij kon het onmogelijk zijn geweest. De twijfels rond Jurriaan Veldhoven als verdachte waren daarentegen groter geworden. Een getuige had zich gemeld met de boodschap rond zeven uur een vrouw in de keuken te hebben zien staan. Het was een bewoner van de flat. Hoewel hij er geen eed op af durfde te leggen dat het hier ging om Evelien, klopte zijn vage omschrijving goed genoeg om waar te kunnen zijn. Daarbij klopte ook het verhaal van Veldhoven. Onderzoek had uitgewezen dat hij inderdaad haast moest hebben gehad om zijn vliegtuig te halen, daarnaast was zijn motief na hun gesprek met Ellen te zwak geworden.
Na anderhalf uur als een razende Roland door het huis te hebben gehold, liet ze zich uitgeput op de bank vallen. De gedachte, die door alles heen langzaam haar hoofd was ingekropen, liet haar niet meer los. 'Waarom niet?', mompelde ze. 'Het is toch een vraag waard. Even goede vrienden.' Daarna belde ze Frank op.

*

'Mag ik je een arm geven, Frank?'
Benders keek z'n assistente aan en knikte. Hoewel haar vraag een strandwandeling te maken hem had overvallen, had hij na enige aarzeling toch toegestemd. Eline had hem over de streep getrokken. 'Doe het nou maar, jullie kunnen wel wat ontspanning gebruiken', had ze gezegd.

'Heb jij nog over die Lakeman nagedacht?', vroeg hij luid om boven het geraas van de aanstormende golven uit te komen. Paula gaf hem een arm en schudde haar hoofd. 'Ik wil daar nu niet over praten. Ik denk dat het beter is onze hoofden nu

leeg te maken.'
Ze was dichter tegen hem aan gaan lopen en wees hem op een schip dat als een stip aan de horizon opdoemde. 'Als ik een schip zie, moet ik altijd aan m'n vader denken.'
'Ik wist niet dat jouw vader zeeman was', reageerde Benders verbaasd.
'Ik zeg toch ook niet dat mijn vader zeeman was. Ik zeg alleen dat ik aan hem denk als ik een schip zie.'
Benders keek haar vragend aan. 'Dit begrijp ik niet. Kun je mij dat uitleggen?'
'Je weet toch dat ik m'n vader nooit heb gekend?'
'Ja, daarom. Hoe kun je dan zeggen dat....'
'Ik heb hem gefantaseerd', onderbrak ze hem. 'Ik fantaseerde m'n eigen vader. Een zeeman. Een grote sterke zeeman.'
Benders knikte. 'Nu begrijp ik wat je bedoelt', zei hij. Ze liepen zwijgend verder. Het was harder gaan waaien. Uit angst voor natte voeten begon Benders meer van de vloedlijn af te lopen. Paula had haar hoofd nu tegen zijn schouders laten zakken. Mensen die niet beter wisten, zouden vermoeden dat het hier om twee verliefde mensen ging.
'Ik heb nagedacht over wat je laatst zei', zei Paula. 'Over Marit, bedoel ik. Dat het niet verstandig is om op die manier zwanger te willen raken.'
'Wat zei Marit?'
'Ik maak me zorgen om haar. Ik ben bang dat het een obsessie voor haar wordt. Ze wil het toch.'
'En jij?'
'Ik wil het niet. Zo niet.'
'Denk jij dan toch aan adoptie?'
'Nee.'
'Waar denk jij dan aan?'
'Aan jou.'
Benders stond met een ruk stil en keek zijn assistente verbijsterd aan. 'Aan wat? Aan mij?', riep hij geschrokken. 'Je

denkt toch niet dat ik....'
Paula trok hem weer mee. 'Reageer niet zo opgefokt, Frank', zei ze kalm. 'Denk er gewoon eens rustig over na.'

*

Benders was op maandagmorgen opgestaan met een onbestemd gevoel. Een gevoel dat hij niet kon benoemen, maar dat ongetwijfeld te maken moest hebben met zijn gemoedstoestand. Hij had gedroomd. Marit had gezegd zwanger van hem te zijn en had zijn verantwoording opgeëist. Het gemak, waarmee hij instemde, verontrustte hem. Het was maar een droom, maar toch.
Hij trok de gordijnen open om bevestigd te krijgen wat hij al had gehoord. Het regende. De depressie was compleet. Gisteravond had hij terloops tegen Eline gezegd wat Paula hem had gevraagd. Van haar reactie was hij zich wezenloos geschrokken. "Waarom niet Frank?", had ze gevraagd. "Dat kind kan zich geen betere moeders wensen." Hij had nauwelijks geantwoord. Was niet verder gekomen dan: "Daar begin ik niet aan." Eline was door gaan vragen, had argumenten als "Ik ben geen fokstier" als een belachelijke vergelijking van tafel geveegd en hem gezegd dat hij er best eens rustig over na kon denken. Dat hij die meiden er geweldig mee zou helpen. En dat hij van haar kant geen bezwaren hoefde te verwachten. Maar hij wilde het niet. Erover nadenken. Ook niet rustig. En daarbij, hij had wel wat anders aan z'n hoofd. Vandaag wilde hij Jurriaan Veldhoven weer aan een nieuw verhoor onderwerpen. De gedachte dat de moord op Evelien Mulder een slepende zaak ging worden, maakte hem chagrijnig. Hij reageerde dan ook geërgerd toen Eline hem tijdens het ontbijt vroeg of hij er nog over had nagedacht.
'Die potten bekijken het maar', antwoordde hij zonder van zijn krant op te kijken. 'Ik doe niet mee aan die onzin.'

Eline was woedend geworden. 'Ik begrijp niet dat je zo kunt reageren, Frank Benders!', bitste ze terug 'Dat verdient Paula niet!'
Benders liet z'n krant zakken en ontmoette de woedende blik van Eline. 'Oké, oké. 'Ik bedoel het ook niet zo', suste hij. 'Ik ben er nog niet aan toe, dat is alles. Ik heb meer aan m'n hoofd, geef me in godsnaam de tijd.'
'Zeg ze dan in elk geval dat je bereid bent er over na te denken. Dat je ze binnen, bijvoorbeeld tien dagen, laat weten wat je doet. Die meiden willen ook weten waar ze aan toe zijn.'
Hij haalde z'n krant weer omhoog en dacht na. Ze vertoonde geen spoortje van twijfel. Welke vrouw deed dat haar na? Zonder het geringste gevoel van jaloezie stemde ze toe in een derde Benders, buiten zichzelf. "Een dijk van een wijf", noemde Paula haar ooit. Hij vouwde de krant weer dicht, legde hem op tafel en schonk thee voor haar in. 'Ik zal ze zeggen erover na te denken', zei hij tenslotte.

*

Het water gutste uit de hemel toen Benders in z'n auto stapte. Eenmaal op weg besefte hij dat hij z'n besluit voortaan de fiets te pakken nooit in de herfst had moeten nemen. Hij had beter kunnen wachten tot het voorjaar. Hij zette de ruitenwisser in zijn snelste stand en draaide de provinciale weg op. Hij keek naar z'n handen. Het bruin was zo goed als verdwenen. Een week terug van Corsica. De opgedane energie leek alweer op te zijn. Hij voelde zich moe. Zou hij wat onder z'n leden hebben? Maar tegelijkertijd realiseerde hij zich dat deze gedachte onzinnig was. Hij had teveel hooi op z'n vork gekregen, had de tijd niet gekregen weer in z'n ritme te komen. Dat was het. Meteen een moord verdomme, of het niks was. Welkom thuis. En dan, of het allemaal nog niet genoeg was, de vraag van Paula. Een vraag die hem verwarde. Een vraag waarvan hij het

antwoord voor zichzelf niet uitgesproken kreeg. “Waarom niet?”, had Eline gevraagd. Hij wist het niet, verdomd hij wist het niet. Wat hij wel wist, was dat hij politieman was. Dat er een moord opgelost diende te worden. Hoe zei die sloper dat ook alweer, oh ja, “zaken gaan voor het meisje.” Een meisje.... ?
Hij zette de radio harder, gaf gas bij en probeerde z'n gedachten te ordenen.
Toen hij het bureau naderde, was de regen in kracht afgenomen. Hoewel boven hem de hemel nog loodgrijs gekleurd was, zag hij vanuit het noorden het lichte blauw. De lucht ging daar breken. Over een uur zou het droog zijn. Hij keek op z'n horloge. Het was exact negen uur, terwijl hij de parkeerplaats opreed. Boven op zijn kantoor brandde licht. Paula was al aan het werk. Het zou hem niets verbazen als zij al een afspraak met Veldhoven had gemaakt. Ruim drie jaar, werkten ze al samen, en steeds vaker kwam het voor dat ze hem zei: ‘Daar heb ik al voor gezorgd, Frank.’ Hij had het getroffen met haar. Eigenlijk zou hij haar dat best eens mogen laten blijken. Maar dat was het juist, daar was hij weer zo verrekte onhandig in. Nu had hij de kans. Eline had gelijk, een betere moeder kon je je als kind niet wensen.

Op de trap naar boven werd Benders staande gehouden door Stef Haarsma. De commissaris vroeg hem mee te komen naar zijn kantoor. ‘Ik wil je even spreken Frank’, verklaarde hij. Benders keek hem bevreemd aan. De toon, waarop hij sprak, was niet de toon die hij kende van commissaris Haarsma. Hij klonk bijna opgetogen. Praten waarover in godsnaam? Vrijdagmiddag was er nog uitgebreid gesproken over de zaak Mulder.
Hij volgde hem naar zijn kantoor, sloeg de aangeboden thee af en ging zitten.
Haarsma schraapte zijn keel. ‘Het gaat over de zaak Mulder’,

begon hij. 'Vrijdagavond werd ik benaderd door advocaat meester Verheul. Verheul behartigt de belangen van Bouw - en Aannemingsmaatschappij Donkersloot. Hij vertelde me in vertrouwen dat het in liquiditeitsproblemen verkerende bouwbedrijf in onderhandeling was met aannemersbedrijf Mulder. De inzet van deze onderhandelingen zou een overname betreffen. Kort voor de dood van Evelien werden deze onderhandelingen afgebroken. Evelien zou faliekant tegen deze overname zijn geweest. Tot woede van haar broer, die zijn zinnen er juist op had gezet. Verheul noemde het besluit van Evelien een verstandig besluit. De firma Donkersloot staat er slecht voor. Heeft als bouwer een slechte reputatie en beschikt over een minieme orderportefeuille.'
'Waarom dan toch die gretigheid van Mulder?', vroeg Benders.
Haarsma knikte. 'Ja,' zei hij, 'ik stelde diezelfde vraag aan Verheul. Hij vermoedde dat dit te maken had met het verleden. De oprichters van beide bedrijven leven niet meer, maar vroeger waren het aartsvijanden. Als regionale aannemers beconcurreerden ze elkaar op het scherpst van de snede. Donkersloot was toen het meest succesvol. Verheul denkt dat dit gegeven bij Mulder heeft meegespeeld. Noem het maar revanche.'
Benders had aandachtig geluisterd. Hoe magertjes ook, het kon een motief zijn. Evelien als dwarsligger. Toch schudde hij z'n hoofd. 'Ik denk niet dat Mulder om deze reden zijn zus heeft omgebracht', zei hij, en stond op.
'Ook niet als Mulder een dag na de crematie de onderhandelingen weer hervatte?'
Benders had zich al omgedraaid om het kantoor van de commissaris te verlaten. Hij draaide weer terug en keek Haarsma aan. 'Heeft hij dat?'
'Sterker nog. Verheul wist me zelfs te vertellen dat de overname zo goed als rond is.'
'Ja, dat verandert de zaak', beaamde Benders.
Haarsma was ook opgestaan en keek Benders aan. 'Ik zou dus

zeggen Frank, doe hier je voordeel mee.'
Benders hoorde zijn triomf en verliet het kantoor met het gevoel te worden gestuurd. Dat wilde hij niet, zeker niet door Haarsma.

Toen Benders zijn kantoor binnenstapte, zag hij dat Paula aan het bellen was. Uit het gesprek kon hij opmaken dat ze bezig was een afspraak te maken met Jurriaan Veldhoven. 'Nee, geeft niet', zei ze glimlachend. 'Oké half tien, wij zullen er zijn.'
Ze legde de hoorn op het toestel en keek Benders bedenkelijk aan. 'Goeiemorgen, Frank. Verslapen?'
Benders schudde z'n hoofd. 'Ik werd opgehouden door Haarsma.'
'Wat had Haarsma dan?'
'Niets bijzonders, allemaal gelul eigenlijk.' Hij wees naar de telefoon. 'Was dat Veldhoven?'
'Ja, maar wat was dat dan voor gelul, met Haarsma?'
Drammer, dacht Benders glimlachend en ging zitten. Hij vertelde het hele verhaal, inclusief zijn eigen reactie.
'Toch de moeite waard om Mulder hierover te onderhouden', reageerde Paula.
Benders knikte. 'Doe ik ook, maar niet op commando.'
Paula stond op. 'Wil je koffie?'
'Lekker. Wat geeft niet?'
'Wat geeft niet?
'Je zei zojuist tegen Veldhoven "Dat geeft niet".'
'Oh dat. Ik belde Veldhoven thuis, hij was ziek, grieperig, maar voelde zich wel in staat ons te woord te staan.'
Paula schonk koffie in. 'Heb je er nog over nagedacht?'
Benders keek haar aan en zuchtte. 'Ik doe niet anders.'
Paula ging zitten. 'Maar je weet het nog niet?', vroeg ze aftastend.
'Ik heb er met Eline over gesproken', zei hij tussen twee slokken koffie door. 'Ze moedigde me aan.'
Paula keek hem stralend aan, balde haar vuisten en hief ze

omhoog. 'Ik wist het, ik wist het!!'
'Ik heb nog geen ja gezegd', temperde Benders. 'Ik wil eerst dat erover gepraat wordt. Jij en Marit moeten maar eens langskomen.'
'Tuurlijk, tuurlijk, dat begrijp ik. Maar in principe ben je bereid om....'
Benders knikte. 'In principe wel, ja.'
'Jezus Frank, je hebt geen idee hoe.....' Ze vloog hem om z'n nek, gaf hem een zoen op beide wangen en begon te huilen. Benders wist zich geen raad. Zoals meestal in dit soort situaties. Hij stond op en legde ongemakkelijk een hand op haar schouder. 'Half tien zei je?'
Ze knikte snel.
'Dan moeten we gaan, dan moeten we nodig gaan.'

*

Veldhoven was inderdaad ziek. Met waterige ogen keek hij z'n bezoekers aan en verzocht ze hem te volgen naar zijn werkkamer. 'Bas is vrij van school vandaag', verontschuldigde hij zich. 'Ik denk niet dat het verstandig is in zijn bijzijn te praten. Hij kan nogal druk zijn, ziet u.'
Benders knikte en zei dat te begrijpen.
In de werkkamer van Jurriaan Veldhoven heerste orde. De witte, bijna steriele omgeving leek meer op een artsenpraktijk dan op de ontwerpkamer van een architect. In tegenstelling tot de rest van de woning kenmerkte deze ruimte zich door een kille zakelijkheid. Een kilte, die volgens Ellen door haar man zo werd gehaat.
Veldhoven verzocht beide rechercheurs plaats te nemen, waarop hij ze koffie aanbood.
'Nee dank u, doet u geen moeite', zei Benders. Paula schudde haar hoofd.
'Ik zie dat uw ambacht ook al is overgenomen door de auto-

matiseringsdrift', begon Benders nadat hij had plaats genomen. Hij wees daarbij op de drie computers en printers, die op het werkblad stonden.
Veldhoven knikte. 'Helaas wel, ja. Ik heb daar,' hij knikte naar een achter de stoel van Benders gelegen deur, 'nog een authentieke werkkamer waar ik het ouderwetse ambacht kan uitoefenen. Daar werk ik aan m'n droom.'
'Aan uw droom?'
Veldhoven glimlachte. Een gespannen glimlach, vond Benders. 'Ja, meneer Benders. Een mens moet zijn dromen hebben. Een mens moet zichzelf de ruimte geven te ontsnappen aan de alledaagse werkelijkheid.'
'En hoe doet u dat? Ontsnappen.'
'Ik maak een replica op schaal van een door Gaudí ontworpen kathedraal. Een heidens karwei, maar ooit wordt het werkelijkheid. Hebt u geen droom?'
Benders knikte. 'Wel een droom, maar niet het geld.'
'Vertelt u eens.'
'Formule1. Ik zou me graag eens aan de werkelijkheid willen onttrekken door zo af en toe eens in zo 'n racemonster rond te scheuren.'
'En jij, Paula?', vroeg Veldhoven.
Paula keek geschrokken op. 'Ik hou mijn droom liever nog even voor mezelf', zei ze blozend.
'Dat mag. Geheime dromen zijn ook dromen. Het gaat erom dat je er trouw aan blijft.'
'Even terug naar de werkelijkheid', zei Benders. 'Eerlijkheid gebiedt mij u te zeggen, dat er nog weinig schot in de zaak zit. Ons grootste struikelblok is het ontbreken van een duidelijk motief. Om daarachter te komen is het noodzakelijk meer over het slachtoffer te weten. U was haar minnaar, ik vestig mijn hoop op u.'
Veldhoven spreidde zijn armen. 'Vraagt u maar.'
'Wie was Evelien Mulder? Wat hield haar bezig? Wat was háár droom?'

Veldhoven staarde langs Benders heen en drukte z'n bril omhoog. Hij transpireerde, zag Benders. 'Evelien was een intelligente vrouw', zei hij zacht. 'Weet u, meneer Benders. Sommige ontmoetingen lijken voorbestemd. Toen ik Evelien voor het eerst ontmoette, klikte het meteen. Ik haat de formele kant van mijn vak. Als ik word uitgenodigd voor openingsfeestjes probeer ik er altijd op een beleefde manier onderuit te komen. Bij de opening van het stadskantoor lukte me dat niet. Mijn vader is kort geleden overleden. Hij was jaren wethouder van sociale zaken. Uit eerbetoon aan hem had men mij verzocht het lint door te knippen. Wat moest ik?'
'Het lint doorknippen', antwoordde Benders droog.
'Dat deed ik dan ook', vervolgde Veldhoven. 'Tijdens dat openingsfeest ontmoette ik Evelien. Nadat ik tal van schouderklopjes en overdreven complimenten in ontvangst had genomen, was zij het die mij vroeg of ik werkelijk tevreden was over het resultaat. Toen ik haar antwoordde, dat ik dat niet was, reageerde ze niet eens verbaasd. "Dat dacht ik al", zei ze. "Ik las de afkeuring in je ogen." Ik was stomverbaasd, maar tegelijk ook opgelucht. Diezelfde avond aten we samen. Uren spraken we met elkaar. Al snel kwamen we erachter dat we raakvlakken hadden. Zij voelde zich evenals ik niet echt gelukkig in haar werk. "Geremd". Dat woord kwam bijna tegelijkertijd over onze lippen. Evelien voelde zich geremd door haar broer. Zijn ambities waren de hare niet. Paul was bouwer, hij dacht in kubieke meters. Evelien had andere ambities. Ze wilde de zaak opsplitsen. Een bouwmaatschappij en een beheermaatschappij. Bouwen in eigen beheer, dat was haar ambitie. Maar Paul wilde daar niets van weten. Vlak voor haar dood escaleerde dat. Ze dreigde uit de zaak te stappen, zich uit te laten kopen. Paul was geschrokken en probeerde haar te lijmen door een overname te bewerkstelligen.'
'Donkersloot', zei Benders.
Veldhoven keek hem verrast aan. 'Klopt, ja. Hoe weet u dat?'
'Betrouwbare bron, maar gaat u verder.'

‘Evelien noemde die overname een onbezonnen idee en kapte tot woede van haar broer de onderhandelingen af.’
‘Weet u ook dat deze onderhandelingen inmiddels weer opgepakt zijn?’
‘Meent u dat?’
Benders knikte. ‘Een dag na de crematie. Ze zijn zo goed als rond.’
‘Onbegrijpelijk.’
‘Kunt u mij uitleggen wat daar zo onbegrijpelijk aan is? Mulder is een gezond bedrijf. Een overname van een ander regionaal bedrijf versterkt toch de concurrentiepositie.’
‘Goed beredeneerd inspecteur, maar Donkersloot heeft een slechte reputatie. Ik denk, dat een dergelijke overname de reputatie van bouwbedrijf Mulder zal schaden.’
‘Dat begrijp ik niet’, kwam Paula nu tussenbeide. ‘Mulder blijft Mulder. De naam Donkersloot verdwijnt. Hoe kan Mulder dan schade ondervinden door de slechte reputatie van Donkersloot?’
‘Heel simpel’, zei Veldhoven. ‘Een van de voorwaarden in zo’n onderhandeling is dat het personeel van Donkersloot overgaat naar Mulder.’
‘Slecht personeel dus’, zei Benders.
‘Daar zegt u inderdaad niets te veel mee.’
‘Hoe goed kent u Paul Mulder?’, vroeg Benders nu.
Hij zag Veldhoven nadenken. ‘Paul is een harde werker’, zei hij. ‘Geen slechte bouwer. Hij bouwt op gevoel. Kan nauwelijks tekening lezen, maar ziet op de millimeter of een hoek haaks is of niet.’
‘Dat waren zijn kwaliteiten als bouwvakker. Maar als mens?’
Veldhoven drukte z’n bril weer omhoog. ‘Als mens’, herhaalde hij. ‘Tsja, hoe zal ik dat zeggen? Twee gezichten. Om u eerlijk de waarheid te zeggen, hij verrast mij nog vaak. Op het ene moment maakt hij je uit voor rotte vis om op het andere moment een arm over je schouder te leggen. Onnavolgbaar.

Tijdens de crematie las hij een gedicht voor, heel simpel, maar met een gevoel waarvan je koude rillingen kreeg. Die man is echt uniek.'
'Ik heb in mijn werk meer unieke mensen ontmoet.'
'Waar doelt u op?'
'Uniek staat niet voor vreedzaam.'
'Als u suggereert dat Paul wel eens iets met de dood van Evelien te maken kan hebben, deel ik deze mening niet. Paul is zakelijk, hard. Tikkeltje geslepen misschien, maar geen man die iets dergelijks in zijn hersens zal halen. En daarbij, Paul liep weg met Evelien, ondanks hun zakelijke verschillen.' Hij schudde resoluut z'n hoofd. 'Nee, meneer Benders', zei hij beslist. 'Paul niet. Paul absoluut niet.'
'Wie wel?'
'Wie wel?'
Benders knikte.
'Ja God, meneer Benders als ik dat wist dan....'
'Dan horen we dat graag van u', rondde Benders af. Daarna stond hij op en gaf Veldhoven een hand. Klam, vond hij, erg klam.

*

Midden op de dag reden ze terug over de dijk. Het was ongewoon stil. Het IJsselmeer leek vrijwel rimpelloos te wachten op de storm die tegen de avond was voorspeld. Benders keek er met verwondering naar. Bij herfst hoorden aanstormende golven tegen de dijk uiteen te spatten. De jaargetijden dienden zich aan hun codes te houden. Hij keek naar Paula, die ook al zo ongewoon stil naast hem zat.
'Wat ben je stil? Bij Veldhoven deed je ook al nauwelijks je mond open.'
Paula haalde diep adem. 'Ja, sorry Frank, ik ben er niet echt bij vandaag.'

Benders keek haar van opzij aan. 'Heb je wel een indruk van Veldhoven gekregen?'
Ze knikte. 'Lijkt me een aardige man. Gevoelig.'
'Gevoelig?'
Paula knikte. 'Gevoelig ja. Ik zag het aan z'n ogen. Hij is de klap nog niet te boven.'
Benders hield gas in voor een laagvliegende reiger, die zonder op of om te kijken de dijk overstak. Vlak voorbij zijn voorruit draaide het beest met een gracieuze beweging in een halve cirkel terug, waardoor hij vol in de remmen moest. Hij vloekte niet, maar keek het beest bewonderend na nadat deze klapwiekend zijn vlucht vervolgde. Daarna gaf hij weer gas.
'Denk jij nog wel eens aan die zaak van vorig jaar?', vroeg hij plotseling.
'Die Poolse vrouw? Grazyna?'*
'Ja.'
Paula knikte. 'Die vrouw was ongelofelijk sterk.'
'Sterk gemaakt', zei Benders. 'Ze heeft me ooit verteld dat een vrouw over onbegrensde krachten beschikt waar het haar kind aangaat.'
Paula keek naar buiten. 'Sommige moeders hebben dat, ja.'
'Sorry Paula, ik wilde niet...'
'Hou op Frank, dat is voor mij allang niet meer aan de orde. Ik hoop straks zelf de kans te krijgen het beter te doen.'
'Dat doe je ongetwijfeld.'
Paula keek naar Benders. 'Waar hangt het nog van af?'
'Ik wil dat mijn kinderen er ook in toestemmen.'
'Joris en Femke? En als een van beiden het niet wil?'
'Dan gaat het niet door.'
Paula keek zwijgend voor zich uit. 'Je moet hier rechtsaf Frank, anders kom je weer langs die meeuwenkolonie.'
Benders gaf richting aan. 'Begrijp je het wel, Paula?'
Ze knikte. 'Wat denk je zelf?'
'Femke lijkt op haar moeder, van haar verwacht ik geen bezwaar.

Van Joris weet ik het niet.'

* Zie: 'Lied van de lijster'.

6

Paula van Es haalde opgelucht adem toen ze de sleutel in de voordeur hoorde gaan. Ze wachtte al anderhalf uur op Marit. Anderhalf uur, waarin piekeren de hoofdrol speelde. Terwijl ze bij Veldhoven zat, had ze bedacht dat Marit nu ook deelgenoot moest worden gemaakt van de vraag die ze Frank had voorgelegd. Liever was het haar geweest met zijn volledige instemming op de proppen te komen, maar dat kon nog niet. Er nog langer over zwijgen wilde ze niet. Eigenlijk was er na de laatste uitbarsting van Marit nauwelijks meer gesproken over hun kinderwens. Alsof geen van beiden een opening kon vinden daarover te beginnen. Er was daardoor een spanning in hun relatie gekropen die haar verontrustte. Een spanning die ze niet eerder had ervaren. Vier jaar kende ze Marit nu. Tijdens hun eerste ontmoeting op een expositie van Marits werk was ze direct smoorverliefd op haar geworden. Marit had het initiatief genomen. "Ik wist het al bij je binnenkomst", had ze later gezegd. Diezelfde nacht was het al raak geweest. Een waanzinnige, overrompelende nacht had een einde gemaakt aan haar twijfels. In die vier jaar was er een hechte relatie ontstaan. Een relatie, waarvan ze zeker was dat deze sterk genoeg moest zijn om een zo belangrijke keuze te maken. Maar verdomme, waarom dan toch die spanning?

Marit smeet met een bruusk gebaar haar tas in de hoek. 'Christus, wat heb ik een klotedag gehad!', foeterde ze. Ze keek Paula strak aan. 'Ik ga dat contract afkopen, wat daarvan ook de gevolgen zijn.'
'Wat voor contract?', vroeg Paula verbaasd.
'Van dat mens van die winkelketen, ik stop ermee.'
'Ga eens zitten, Mar', probeerde Paula te sussen. 'Wil je wat drinken?'

‘Dubbele whisky, ja.’
‘Ik denk niet dat je daarvan opknapt, Marit Sikkema!’
‘Heb ik jou gezegd dat ik op wil knappen!’
‘Jezus, Mar!! Wat is er gebeurd? Wat doe je opgefokt.’
‘Wat is er gebeurd! Wat is er gebeurd! En dat zal jij niet weten.’
Paula zag haar ogen vlammen en deinsde achteruit.
‘Eline Benders was vandaag bij mij in het atelier!’
‘Eline?’
‘Eline, ja! Ze wilde een afspraak maken. Ze zei dat ze erover wilde praten.’
Paula keek haar geschrokken aan. ‘Godsamme Mar, ik....’
‘Ik had liever gehad dat je daar eerst met mij over had gesproken’, onderbrak Marit hard.
Paula was niet van plan zich te excuseren. ‘Wat een onzin!’, bitste ze terug. ‘We waren het er toch al over eens, dat....’
‘We waren het nog nergens over eens!! We hadden hem alleen als voorbeeld genomen.’
Paula draaide zich met een ruk om. Ze liep stampvoetend naar het raam en keek woedend naar buiten. ‘Ik wilde eerst zekerheid’, zei ze verongelijkt. ‘Ik wilde eerst zeker weten of Frank het wilde doen. Wat denk je wat het voor mij betekende zolang m’n mond te moeten houden?’
‘Oh, je wilde me verrassen’, zei Marit honend.
‘Verrassen ja. Verdomme, wat heb je? Het lijkt wel of je...’
‘Klopt ja’, onderbrak Marit kort. ‘Ik heb...’ Ze wachtte even.
‘Ja, sorry Paultje,’ vervolgde ze, ‘ik ben van gedachten veranderd.’
Paula draaide zich om. ‘Jezus Mar, je wilt toch niet zeggen dat...’
Marit zuchtte. ‘Ja,’ zei ze zacht, ‘ik heb me bedacht. Ik wil het niet, zo niet. Ik heb erover nagedacht, maar ik ben toch bang dat ik het emotioneel niet aankan. Ik kies toch liever voor adoptie.’
‘Tweedehands kind.’

‘Verdomme Paula wat een rotopmerking.’
Ze keken elkaar zwijgend aan.
‘Sorry, dat had ik niet moeten zeggen.’ Paula liep naar Marit en trok haar aan haar schouder naar zich toe. ‘Waar denk jij dan aan?’
Marit maakte zich los en liep naar achteren. Ze kwam terug met een krant en wees Paula op een foto. Toekomst voor de jeugd in Medelin, stond er als ondertitel van een foto, waarop een klein meisje stond afgebeeld. In haar rechterhand hield ze een fles onder haar neus, gevuld met een geelachtige substantie. Met een wazige blik staarde ze Paula aan.
‘Lijm’, zei Marit. ‘Dat meisje snuift lijm. Op die manier verzacht ze haar leed. Ze is vijf jaar, Paula. Vijf jaar en volstrekt kansloos.’
‘Het is een mooi kind’, zei Paula.
‘Straks wordt ze nog mooier’, zei Marit. ‘Mooi genoeg om de lijm te verruilen voor heroïne. Benen wijd, bedje gespreid.’
‘Afschuwelijk.’
‘Afschuwelijk genoeg om na te denken over een tweedehands kind?’
Paula keek weer naar de foto en knikte langzaam. Ze legde de krant terug op tafel. ‘Hoe reageerde Eline?’
‘Toen Eline had uitgelegd waarover ze wilde praten, hield ik me van den domme. Ik heb haar gezegd dat ik in overleg met jou nog een afspraak zou maken.’
‘Wel lullig voor Frank. Ik bedoel, hij had het er best moeilijk mee.’
‘Frank heeft hier wel begrip voor’, suste Marit. ‘Ik denk dat er heel wat van hem afvalt.’
Paula knikte en staarde weer naar de foto.

7

De avond na zijn bezoek aan Veldhoven kostte het Benders moeite zijn ogen open te houden. Hij had zich voorgenomen deze avond vroeg naar bed te gaan. Morgen vergadering. Hij kon het zich niet veroorloven daaraan in deze conditie deel te nemen. Onderuitgezakt hing hij voor de televisie. Moe van de zaak Mulder, moe van zijn twijfels rond het donorschap. Tijdens gesprekken met de arts, die hem een jaar geleden had behandeld in verband met een aanval van hyperventilatie, had hij geleerd hoe hij moest omgaan met twijfels. "U bent een introverte man, meneer Benders", had de arts gezegd. "U piekert veel en bent moeilijk in staat uw twijfels te uiten. Mensen als u lopen een verhoogd risico vast te lopen. Uit uw twijfels. Twijfel is geen schande." De arts had hem een spiegel voorgehouden. De opluchting dat het toen niet zijn hart was geweest, had hem ontvankelijk voor deze spiegel gemaakt. Hij was inderdaad introvert. Net als z'n vader. Blijkbaar was dat genetisch bepaald. Hij had veel met de arts gepraat. Ook na zijn ontslag uit het ziekenhuis. Er was zelfs een vriendschapsband ontstaan, die helaas was verwaterd, nadat de arts naar het zuiden van het land was verhuisd.
Hij werd in zijn gedachten gestoord door een binnenstormende Joris. Zijn zoon griste de afstandbediening van de armleuning en keek zijn vader verwijtend aan. 'Jezus pa, wat zit jij er uitgeblust bij. Zal mij benieuwen of dat zaad van jou zijn bestemming nog wel bereikt.'
Benders was met een ruk rechtop gaan zitten en keek verbijsterd naar zijn zappende zoon. 'Dus jij weet al, dat....'
'Tuurlijk, je weet toch hoe mam is. Tof van je trouwens.'
Benders staarde verward naar het verspringende beeldscherm.
'Net op tijd, pa. Milaan, Formule1. Heb je gelezen dat Verstappen een nieuw contract krijgt aangeboden?'

‘Hoe reageerde Femke?’
Nu was het Benders junior, die zijn vader verbijsterd aanstaarde.
‘Oh, je bedoelt dat van je donorschap. Leuk, ze vond het leuk. We vinden het alledrie leuk.’
Benders liet zich weer achterover zakken. We vinden het alledrie leuk. Einde discussie.
Hij keek naar z’n zoon. Negentien jaar. Een volwassen kerel bijna. Het slungelachtige begon langzaam plaats te maken voor wat het begin heette te zijn van een mannenlijf. Dikkere bovenbenen, bredere schouders. Hij had het gezicht van z’n moeder. Open. Haar kuiltjes begonnen zich bij hem steeds sterker af te tekenen. Met het groeien van zijn lijf was ook z’n zelfvertrouwen toegenomen. Twee jaar geleden was hij nog de onzekere puber. Dwars, onhandelbaar. Meer dan eens had hij Benders tot wanhoop gedreven. Schopte naar alles wat met politie te maken had. Nu had hij een voor hem onmogelijk geachte keuze gemaakt. Na vier maanden school voor de journalistiek had hij het besluit genomen zich te laten inschrijven voor de politieacademie. Het zou een goeie kunnen worden, die zoon van hem.
Benders wrikte zich weer los uit zijn gedachten. ‘Ik hoef je niet uit te leggen, dat dit tussen deze vier muren blijft?’
Joris maakte een afwerend gebaar met zijn hand. ‘Ik weet van niks, pa.’
Benders stond op. ‘Ik ga naar bed’, mompelde hij. Hij kende de uitslag van deze race al. Het was een herhaling van zondag. Hakinen zou winnen, Schumacher werd tweede. Die teleurstelling wilde hij niet nog eens ervaren.

*

Benders was mismoedig uit de vergadering gestapt. Haarsma had hem verweten nog niets met de informatie over Paul Mulder te hebben gedaan. “Ik reik je een motief op een presenteerblaadje aan en jij negeert het alsof het van nul of generlei waarde is." Dit verwijt had de vergadering beheerst. De aloude controverse tussen hen had de kop weer opgestoken. Haarsma had van Benders geëist dat hij onmiddellijk met Mulder ging praten. "Er zijn er voor minder vermoord, Benders!", had hij hem toegesnauwd. Benders had er tegenin gebracht dat de wijze, waarop Evelien Mulder was vermoord, niet strookte met het motief. Toen hij in die stelling bijval kreeg van Paula en Teulings had Haarsma zich een slechte verliezer getoond. Hij had de vergadering afgebroken en Benders opdracht gegeven om Mulder op het bureau te ontbieden.

*

'Ik begrijp waar u naar toe wilt, inspecteur', reageerde Mulder ontspannen. 'Hoewel het een absurde veronderstelling is, kan ik uw logica wel volgen.'
Benders had zich verbaasd over de kalme houding van Mulder. Hij moest terugdenken aan de woorden van Veldhoven. "Die man heeft twee gezichten."
'Meneer Mulder...'
'Paul.'
Benders keek hem zwijgend aan. 'Meneer Mulder, ik zal eerlijk tegen u zijn. Wij begrijpen geen moer van u.'
Mulder keek naar Paula, die afwachtend haar handen boven het toetsenbord van haar PC liet zweven. Toen draaide zijn blik weer naar Benders. 'Wat begrijpen jullie niet? Ik heb het u toch uitgelegd? Het leven gaat door. Dat Evelien en ik een meningsverschil hadden over deze overname, hoeft toch niet te betekenen dat....'
'Dat bedoel ik niet', onderbrak Benders. 'Wat wij niet begrijpen is waarom u zich zoveel anders gedraagt dan toen ik u voor het eerst confronteerde met de dood van uw zuster.'
'Ik begrijp niet wat u bedoelt.'

‘Volgens mij begrijpt u dat wel. U zit hier tegenover mij als een serieuze verdachte van de moord op uw zuster. Daarom is het noodzakelijk dat ik weet wie u bent.’
‘U weet niet wie ik ben?’ De man leek oprecht verwonderd.
‘Nee.’
Benders zag vanuit de hals van Mulder een rode kleur omhoogkomen.
‘Je irriteert me, Benders!!’
‘Dat is dan wederzijds.’
‘Ik ben Paul Mulder! Aannemer! Broer van mijn vermoorde zuster. En zwaar gefrustreerd, dat ik hier zit tegenover een eikel die zijn tijd verdoet met het stellen van de meest onzinnige vragen!!’
Benders stond zwijgend op. Hij liep naar het raam en bedacht dat Mulder nog wel eens gelijk kon hebben. Deze vraag had zijn doel gemist.
Hij draaide zich weer van het raam en keek Mulder doordringend aan. ‘Hebt u uw zuster vermoord, meneer Mulder?’
‘Nee.’
‘Hebt u een idee wie uw zuster wel vermoord zou kunnen hebben?’
‘Lakeman.’
‘Lakeman heeft een sluitend alibi. Hij kan het onmogelijk zijn geweest.’
‘Dan heeft hij het laten doen.’
‘U haat Lakeman. Waarom?’
‘Dat heb ik u uitgelegd.’
‘Van Lakeman hoorden wij een andere versie.’
Mulder begon onrustig op zijn stoel te draaien. ‘Wat maakt het uit!’, snauwde hij. ‘Het was zijn schuld. Hij stuurde die hond op haar af.’
Benders keek hem aan. Hij ging weer tegenover de aannemer zitten en zag hoe de man zo hard over de rug van zijn hand krabde dat het begon te bloeden.

‘Ada en ik wilden dolgraag kinderen’, zei hij zacht. ‘Dat lukte niet. Toen we hoorden dat Evelien in verwachting was, waren we dolblij; alsof het ons overkwam.’
Paula stond op. ‘Spoelt u uw hand maar even onder die kraan schoon, meneer Mulder, dan zal ik een pleister voor u pakken.’
Mulder stond op en schudde zijn hoofd. ‘Hebt u nog meer vragen, inspecteur?’
‘Nee, u kunt gaan. Ik wil alleen nog van u horen waar u zich bevond op de woensdagavond toen uw zuster is vermoord. Maar ik neem aan dat u hiervoor uw agenda zal moeten raadplegen.’
Mulder schudde z’n hoofd. ‘Als u bedoelt of ik een alibi heb, nee, dat heb ik niet. Ik was thuis, alleen. Mijn vrouw was naar bridgen. Ik heb Evelien die bewuste avond nog gebeld. Toen ze niet opnam, vermoedde ik dat ze al moest zijn vertrokken naar Barcelona, niet wetende dat…’ Hij stokte. ‘Verdomme Benders, moet dat nou!’ De rug van z’n hand bloedde nu als een rund. Hij liep naar de kraan, spoelde z’n hand schoon en accepteerde Paula’s pleister.
‘Dus u wist dat…..?’
Mulder knikte. ‘Mijn zus en ik hadden geen geheimen voor elkaar.’

*

Benders was tot laat in de middag op het bureau blijven hangen. Hij keek op zijn horloge. Over een uur had hij een afspraak met de persvoorlichter. Timmers was een man van de klok, wist hij. Dat verslag moest dan klaar zijn. Benders wist dat hij het belang van een persbericht niet mocht onderschatten. Het verslag was van belang als nieuwsfeit. Het publiek had recht op informatie over de stand van zaken. De kunst was om deze informatie zo te doseren dat het een goed beeld gaf

van de stand van zaken, zonder dat er details werden prijsgegeven die het belang van het onderzoek zouden kunnen schaden. Hij schudde somber zijn hoofd. 'Eigenlijk valt er niets te melden', mompelde hij De overtuiging, dat hij was vastgelopen in zijn onderzoek, was met het uur gegroeid. Het feit, dat er geen sporen van braak waren gevonden, bracht hem als vanzelf bij de huismeester. Hij was het die beschikte over duplicaten. Maar ook hij had een sluitend alibi. Zijn vrouw was die dag jarig en ze hadden hun kinderen en kleinkinderen te gast gehad. En daarbij was er geen enkel motief te bedenken. Wel wees de huismeester hem nog op de mogelijkheid dat de deur niet goed in het slot kon zijn gevallen, dat het dus heel goed had gekund dat hij nog open had gestaan. Eerder al had hij van de vorige huurders hierover klachten gehad. Het stond op zijn lijst hier werk van te maken. "Maar u weet hoe dat gaat, meneer Benders, druk, druk, druk." Benders was geïrriteerd geraakt over deze opmerking en had de man te verstaan gegeven, dat het voor hem niet was te hopen dat Evelien Mulder door zijn laksheid om het leven was gekomen. Later had hij spijt gehad van deze opmerking.
Hij had Paula opdracht gegeven nog eens met Ellen te gaan praten, maar ook daarvan verwachtte hij geen resultaat. Ze moesten vanuit een andere invalshoek de zaak opnieuw gaan benaderen. Op aandringen van Teulings had hij bij de rechter-commissaris om toestemming gevraagd bij Mulder thuis een sporenonderzoek uit te voeren. Motief en gelegenheid waren afdoende geweest om deze toestemming te verkrijgen. Het ging Teulings om de hondenharen. Mulder had weliswaar geen hond, maar hij kon wel met een hond in aanraking zijn geweest. Teulings had gezegd, dat hij in de verdere nabijheid van de flat niet dezelfde hondenharen was tegengekomen. Een minutieus onderzoek langs galerij en lift had hem geleerd, dat er meer honden in of rond de flat aanwezig waren geweest. Maar niet van het langharige ras, waarvan hij de haren had gevon-

den. Teulings had hieruit geconcludeerd, dat de haren op de kleding van de dader zouden kunnen hebben gezeten. Door bijvoorbeeld een toevallige, ongewilde aanraking. Het was druilerig weer geweest, die avond. Door het vocht zouden de haren makkelijk hebben kunnen blijven plakken. De plaats, waar de hondenharen waren gevonden, maakte dat ook aannemelijk. De haren werden ontdekt aan de buitenkant van de deur van de slaapkamer. Teulings had berekend dat de hoogte van de vindplaats overeenkwam met de schofthoogte van een middelgroot ras en dat deze hoogte correspondeerde met de kniehoogte van een volwassen persoon. Volgens de theorie van Teulings gebruikte de moordenaar zijn knie om de klemmende slaapkamerdeur te openen en liet hij zodoende de stempel van hondenharen achter.
Maar is dat wel zo?, vroeg Benders zich plotseling af. Hij liep naar de deur en opende deze alsof hij klemde. Automatisch ging zijn been omhoog. Hij zag onmiddellijk dat het minstens twintig centimeter scheelde. Hij verweet zichzelf nu te weinig aandacht aan deze kwestie te hebben besteed en pakte het onderzoeksrapport erbij, maar ook daarin stond geen gedetailleerde beschrijving. Hoewel hij er eerder van overtuigd was geweest dat de vondst van de hondenharen geen beslissende rol zouden spelen, wond hij zich nu toch op over zijn eigen nalatigheid. Tenslotte belde hij Teulings. De technisch rechercheur was even stil geweest toen Benders zijn theorie ontvouwde. ‘Daar had ik nog niet bij stilgestaan, Frank’, moest hij toegeven.

Benders boog zich weer over het verslag voor de persvoorlichter en schreef nog volledig in het duister te tasten over het motief van de moord.

*

Toen Benders de volgende morgen zijn kantoor binnenstapte, zag hij dat Paula al ijverig bezig was haar rapport bij te werken. Ze reageerde nauwelijks op zijn 'goedemorgen' en bleef in dezelfde houding over haar verslag gebogen. 'Het dossier groeit mee met de twijfel, zie ik', zei hij hard genoeg om haar op te laten kijken.
Paula keek hem knikkend aan. 'Haarsma wacht op een verslag over het verhoor met Mulder. Hij vroeg me dit zo snel mogelijk te overhandigen.'
'Haarsma kan wachten', zei Benders, terwijl hij zijn jas aan de kapstok hing. 'Vertel me eerst maar hoe je gevaren bent bij Ellen Veldhoven.'
'Ellen is een schat', reageerde Paula onmiddellijk. 'Ik heb leuk met haar gepraat. Wist je trouwens dat ze psychologe is?'
Benders ging zitten en schudde z'n hoofd. 'Nee, dit is nieuw voor mij.'
'Twee jaar geleden sloot ze haar praktijk om zich te wijden aan haar gezin. Hun zoon Bas vroeg meer aandacht dan ze hem naast haar drukke praktijk kon geven. Ik vind dat soort besluiten bewonderswaardig, ik bedoel, ze gaf toch heel wat op.'
Benders knikte. 'Dat is te respecteren, ja', zei hij. 'Maar to the point, Paula. Heb je nog naar haar alibi geïnformeerd?'
'Ja. Ellen heeft een sluitend alibi. Ze was die avond bij haar vader. De man was die avond van de trap gevallen en brak daarbij z'n enkel. Hij belde zijn dochter om hulp. Ze is toen met hem naar Hoorn geweest. Ik heb bij de dienstdoende arts navraag gedaan en deze bevestigde haar verhaal.'
Benders zuchtte. 'Verder geen nieuws?'
'Niet het nieuws waar jij op zit te wachten. Ik heb gisteren heel lang en openhartig met haar gesproken. Ze heeft weer met nadruk gezegd niets te hebben vermoed over die affaire

van haar man. Ze zei zich daarover nog steeds schuldig te voelen.'
'Ze voelt zich schuldig omdat haar man is vreemdgegaan?', vroeg Benders verbaasd.
Paula schudde haar hoofd. 'Nee, Frank', zei ze verwijtend. 'Ellen voelt zich schuldig over het feit dat het haar is ontgaan, dat is heel wat anders.'
'Ik vond het ook vreemd dat ze het hem met zoveel gemak vergaf.'
'Ellen heeft het nooit over gemak gehad. Trouwens, ooit vergaf Eline het jou ook.'
'Dat was anders. Ik had geen verhouding met Grazyna.'
'Godsamme Frank, wat dram je door. Ik geloof Ellen op haar woord en daarmee basta.'
Benders hief bezwerend zijn hand. 'Oké, oké.' Hij pakte z'n duim vast en trok deze achterover. 'Ellen Veldhoven spreekt de waarheid.' Daarna pakte hij z'n wijsvinger en vervolgde: 'Jurriaan Veldhoven spreekt de waarheid.' Als laatste pakte hij z'n middelvinger en trok ook deze met kracht achterover: 'En Paul Mulder spreekt de waarheid. Zo komen we er dus nooit uit, Paula.'
Paula trok haar schouders omhoog. 'Misschien zoeken we ook wel verkeerd, ik bedoel, misschien wordt het tijd het leven van Evelien eens goed tegen het licht te houden. We kennen tot nog toe één kant. Wellicht dat er nog een andere, duistere kant in haar bestaan is geweest.'
Benders knikte. Hij stond op en begon nadenkend heen en weer te lopen. 'Jij hebt haar oppervlakkig gekend, zei je. Was het een opvallende vrouw?'
'Helemaal niet. Ik zou eerder het tegendeel beweren.'
'Een grijze muis.'
'Nee, dat ook weer niet. Evelien was een mooie vrouw, maar geen opvallend mooie vrouw.'
Benders zuchtte en ging weer zitten. 'Je zei zo-even: Ellen

Veldhoven is een schat. Wat bedoelde je daarmee?'
'Nou gewoon, een lief, warm mens. Een echt moederdier. Schikt bloemen, bakt appeltaart, vertelt haar kinderen verhalen bij de open haard, zoiets.'
Benders knikte en maakte Paula met een handgebaar duidelijk dat ze wat hem betrof verder kon gaan met haar verslag.
'Eerst even wat anders, Frank.'
Benders keek haar vragend aan. 'Ik luister.'
'Marit en ik hebben gisteren besloten er vanaf te zien.'
'Er vanaf te zien?'
'Een donorkind, bedoel ik. We doen het niet. We hebben toch besloten voor adoptie te kiezen. Sorry. Ik vind het nu vervelend jou met die vraag lastig te zijn gevallen.'
Hij staarde haar aan. Vreemd genoeg deed het niets met hem. Alsof het dilemma nooit had bestaan.
'Geeft niet', zei hij. 'Ik ben blij dat jullie een besluit hebben genomen.'
'Had je het gedaan?'
Benders gaf geen antwoord, maar stond op.
'Ik ga', zei hij.
Paula keek hem verbaasd aan. 'Waar naartoe?'
'Naar Mulder. Hij vertelde gisteren dat zijn zus en hij geen geheimen voor elkaar hadden. Het zal mij benieuwen of hij een antwoord kan geven op de vraag of Evelien, naast Jurriaan, nog meerdere minnaars heeft gehad.'

Van een afstand zag hij Mulder op de verdiepingsvloer van het bouwwerk staan. Het skelet van een paar weken geleden begon de vorm van een heus gebouw aan te nemen. De betonnen binnenwanden werden nu bekleed met rode bakstenen. Toen Benders de bouwplaats opstapte, schreeuwde een bouwvakker hem toe dat hij zich eerst moest melden bij de uitvoerder. Benders stak z'n hand op om de man duidelijk te maken dat de boodschap was overgekomen. Hij begaf zich

weer buiten de hekken en liep naar de uitvoerderskeet. Op het moment, dat hij binnenstapte, hoorde hij hoe twee mannen achter een tekentafel stonden te discussiëren over een vraagstuk waarvan hem de betekenis ontging. De langste van de twee draaide zich bij het dichtslaan van de deur verstoord om en vervolgde daarop z'n uiteenzetting. 'Die kimmen moeten minstens een dag aanharden, voordat je verder kan lijmen. Zeg maar tegen die metselaars dat ze moeten stoppen met dat gevelwerk en dat ze eerst die kimmen moeten metselen.' De man naast hem knikte met duidelijke tegenzin en verliet met een verongelijkt gezicht de bouwkeet.
'Sukkels', zei de man van wie Benders vermoedde dat het de uitvoerder was. 'Die gasten zijn nog te stom om voor de duvel te dansen. Allemaal volk van Donkersloot, ze begrijpen er werkelijk geen snars van.' Hij leek Benders nu pas in de gaten te hebben en keek hem verbaasd aan. 'Wie ben jij eigenlijk?'
'Sorry, mijn naam is Benders. Recherche, ik kwam eigenlijk voor de heer Mulder. Ik zag dat hij boven bezig was, ik wilde naar hem toe, maar werd door een van uw mensen teruggestuurd om mij hier te melden.'
De uitvoerder keek hem nu belangstellend aan. 'U onderzoekt de moord op Evelien?'
Benders knikte.
'Ik ben Freek, Freek de Goede', zei hij. 'Dat u zich eerst moet melden dat klopt, ja. U mag de bouwplaats niet betreden zonder helm, maar ik denk dat het verstandiger is om even te wachten. Paul komt zo weer hier naartoe. Hij is nu even met de opzichter bezig. Mulder kennende, denk ik niet dat hij het u in dank zal afnemen als u hem nu stoort. Wilt u koffie?'
Benders knikte en keek de man onderzoekend aan. De "alles al meegemaakt"- uitdrukking op zijn gezicht maakte hem duidelijk dat de man van wanten moest weten waar het bouwen betrof. Een zestiger. Een oude rot wiens kennis van zaken straks een groot gemis ging betekenen.

'Klotezaak', zei De Goede, terwijl hij Benders de koffie aanreikte. Met een vinger wijzend naar het midden van de tafel maakte hij Benders duidelijk dat melk en suiker verpakt op tafel lagen. 'Klote voor Jur ook. Dit verdient hij niet.'
'U bedoelt Jurriaan Veldhoven?'
De man knikte. 'Jurriaan ja, ik ken hem al heel lang.' Benders zag hem rekenen. 'Een jaar of twintig zeker. Hij heeft bij mij nog stage gelopen.'
'U wist ook van zijn relatie met Evelien Mulder?'
'Ja, wie niet?', zei hij bijna spottend.
'Zijn vrouw bijvoorbeeld', antwoordde Benders.
De Goede schudde zijn hoofd. Hij pakte een suikerzakje van tafel en scheurde met een bijna woest gebaar de bovenkant open. 'Dat geloof je toch zelf niet, Benders. Ben je getrouwd?'
Benders knikte en volgde het voorbeeld van De Goede door ook een suikerzakje te pakken.
'Vrouwen hebben onmiddellijk door als hun kerel vreemd gaat, neem dat van mij aan.'
'U praat erover alsof u er ervaring mee hebt', reageerde Benders lachend.
'Heb ik ook. Tien jaar geleden, lastige leeftijd. Greet floot me onmiddellijk terug.'
Benders scheurde zijn suikerzakje open, liet de inhoud in de plastic beker met koffie vallen en begon te roeren. Hij dacht terug aan Grazyna. Eline had niets gemerkt, dat wist hij zeker.
'Ellen was anders zeer beslist in haar verklaring dat ze van niets wist.'
'Logisch toch. Greet van mij schreeuwde het ook niet van de daken toen ze erachter was gekomen.'
'Kent u Ellen ook?'
De Goede knikte. 'Niet mijn type, maar goed, toch klasse om na twee miskramen nog voor adoptie te kiezen.'
Benders stopte met roeren en keek de uitvoerder verbaasd aan.
'Adoptie?'

'Dat zei ik toch.'
'U bedoelt Bas?'
'Bas, ja. Bas is geadopteerd. Wist je dat niet?'
Benders schudde z'n hoofd en dronk z'n beker leeg. 'Ik heb Jurriaan horen spreken over z'n veertienjarige zoon, maar hij heeft het nooit over adoptie gehad.'
De Goede knikte. 'Ja, waarom zou hij ook. Jur beschouwt hem als z'n eigen zoon. Hij is gek op dat joch. Wil je nog een bakkie?'
Nee, dank u. Benders keek op z'n horloge. 'Ik denk dat ik maar weer ga, ik maak nog wel een afspraak met de heer Mulder.'
De Goede trok z'n schouders op. 'Wat jij wilt Benders, ik zal Paul in elk geval zeggen dat je geweest bent.'
'Overigens, meneer De Goede, wat zijn kimmen?'
'Freek', zei de uitvoerder nu lachend.
'Oké. Wat zijn kimmen, Freek?'
'De kalkzandsteenelementen, die worden verlijmd tot binnenmuren, hebben een gemiddeld gewicht van tachtig kilo. Om dit waterpas te krijgen worden de basiselementen, die wij dus kimmen noemen, op de ruwe betonvloer gemetseld. Vervolgens moet dat een dag aanharden om de zware kalkzandsteenelementen de volgende dag te kunnen dragen. Snap je?'
Benders knikte, stond op en reikte Freek de hand. 'Ik denk dat ik het begrijp. Bedankt voor je uitleg.'
'Graag gedaan, maar nu we toch met het vragenuurtje bezig zijn: wordt Paul verdacht?'
Benders schudde aarzelend z'n hoofd. 'Ons onderzoek zit nog in een stadium, dat we niet van serieuze verdachten kunnen spreken.'
'Dat is diplomatiek uitgedrukt. Wil je weten hoe ik erover denk?'
Benders maakte een uitnodigend gebaar met zijn hand. 'Zeg het maar.'
'M'n kop eraf als Paul het is.'
Benders keek hem vragend aan.

'Paul en Evelien waren maatjes', verklaarde Freek. 'En maatjes mollen elkaar niet.'
Terwijl Freek zich weer over z'n tekentafel boog, verliet Benders de bouwkeet met het gevoel dat de uitvoerder wist waarover hij sprak.

Op de terugweg naar het bureau dacht Benders erover om een bezoek te brengen aan Ellen. Freek had haar "niet mijn type" genoemd. "Ellen is een schat", was de kwalificatie van Paula. En hijzelf? Hij had de neiging zich aan te sluiten bij het oordeel van de uitvoerder. Niet zijn type. Betuttelend. Wellicht met de beste bedoelingen, maar toch. Tegenover Paula had ze opnieuw ontkend op de hoogte te zijn geweest van de affaire die haar man had gehad met Evelien. De verhouding, die toch een halfjaar geduurd moest hebben, was haar volledig ontgaan. Hoewel Paula overtuigd leek van haar gelijk, wilde Benders het persoonlijk uit de mond van Ellen horen. Hij gaf aan zichzelf toe, dat de uitspraak van Freek, "vrouwen hebben onmiddellijk door als hun kerel vreemdgaat", hem had gesterkt in dit voornemen.

Blijkbaar werd Ellen door zijn onverwachte bezoek verrast. Anders dan de eerste keer verwelkomde ze hem met een gereserveerde glimlach. Hij kon het zich verbeelden, maar haar blik vanuit de nog half geopende deur was volgens hem afstandelijker. Zijn oude chef had hem er meerdere keren op gewezen dat het effect van een onaangekondigd bezoek verrassend kon zijn. En verdomd, Bambergen bleek z'n gelijk te krijgen. Ellen bleek niet de innemende vrouw, die hij de eerste keer had ontmoet. Haar blik schiep een metersdiepe kloof. Een indruk, die werd bevestigd door de vraag: 'Wat komt u in godsnaam doen?'
Benders probeerde te glimlachen. 'Ja, sorry mevrouw Veldhoven, maar mijn onderzoek maakt het noodzakelijk u

nog een paar vragen te stellen.'
Blijkbaar was het de zalvende toon in zijn stem die haar ontdooide. De deur ging verder open en Ellen kwam een stap naar voren. 'Moet het nu, meneer Benders? Dit komt me zeer ongelegen.'
Benders knikte. 'Sorry. Helaas brengt mijn vak met zich mee dat ik op de meest ongelegen momenten mijn werk moet doen, maar...'
Ze deed een stap achteruit en maakte hem met een handgebaar duidelijk dat hij verder kon komen.
'Let u maar niet op de rommel', zei ze verontschuldigend, terwijl ze hem voorging naar de kamer. 'Ik was juist bezig met de voorbereidingen voor de kerst. Zaterdag komt de kerstboom ziet u, daar zal toch weer ruimte voor geschapen moeten worden.'
Benders liep achter haar. Ze droeg een zakkerig joggingpak. Hij vond haar een onaantrekkelijke vrouw. Opeens zag hij geen reden meer te twijfelen aan Paula's overtuiging. Zodra hij de kamer instapte, begreep hij waarom hij zo ongelegen kwam. Ellen leek bezig met een complete verbouwing. Hij had er gelijk spijt van zo doorgedramd te hebben. Het ging nergens meer om.

'Gaat u zitten, meneer Benders. Kan ik u wat te drinken aanbieden?'
Benders bleef staan. 'Nee dank u. Ik zal proberen het kort te houden.'
Ellen keek naar het raam en stak haar hand omhoog. De warme glimlach, waarmee dit gepaard ging, deed Benders weer denken aan Paula's mening over deze vrouw. "Een schat", had ze gezegd. Inwendig maakte hij zichzelf verwijten. Wat moest hij hier in godsnaam?
'Excuseert u me een ogenblik', zei ze plotseling. 'Mijn zoon komt eraan, ik ga even theewater opzetten.'

Een moment later stapte een jongen de kamer binnen, die Benders niet veel ouder schatte dan twaalf jaar. De jongen keek met onzekere blik naar hem. Toen Ellen de kamer weer inkwam, veranderde deze blik. Hij stapte langs Benders heen naar zijn moeder, die hem met een kus begroette.
'Dit is meneer Benders, Bas', zei ze. 'Hij werkt bij de politie. Hij wil mama nog een paar vragen stellen in verband met de dood van papa's vriendin, weet je wel.'
Bas knikte. Hij gaf Benders een hand en keek daarna weer vragend naar zijn moeder.
'Ga maar naar je kamer, Bas. Ik roep je straks wel als de thee klaar is. Meneer Benders blijft niet lang.'
De jongen verdween snel naar achteren. Benders keek hem na, hij vond hem klein voor zijn leeftijd. Joris was op die leeftijd wel twee koppen groter geweest. 'Ik hoorde van uw man dat Bas veertien jaar is, maar...'
'Ik weet wat u zeggen wilt', onderbrak Ellen glimlachend. 'U bent niet de enige die hem jonger schat. Bas is inderdaad te klein voor zijn leeftijd. Toen we hem twaalf jaar geleden adopteerden was hij zwaar ondervoed. Twaalf pond voor een jongen van zesentwintig maanden, dat zegt genoeg. Hoewel het moeilijk tot op de dag nauwkeurig valt na te gaan, is Bas wel degelijk veertien jaar.'
'Waar komt hij vandaan?'
'Colombia.'
'Uw man.....'
'Wacht even,' onderbrak Ellen, 'het water kookt, ik kom zo bij u terug.'
'Uw man vertelde mij dat Bas wat leerproblemen had', zei hij toen ze was teruggekeerd. 'Hoe gaat dat nu?'
'Bas komt er wel', antwoordde ze glimlachend, maar beslist. 'Laat u dat maar aan mij over. Kunt u me nu vertellen wat u nog wilde weten?'
Benders schraapte zijn keel. 'Het hoeft niet direct,' zei hij,

‘maar ik zou graag van u een zo gedetailleerd mogelijk verslag krijgen van uw handel en wandel gedurende de avond van de moord. Laten we zeggen van zes tot tien.’
Haar verbazing maakte een oprechte indruk. ‘U wilt toch niet zeggen, dat....’
Benders schudde z’n hoofd. ‘Ik wil niets zeggen. Ons onderzoek vraagt een nauwkeurig beeld van de gebeurtenissen rond het tijdstip van de moord, dat is alles.’
De vrouw zuchtte. ‘Goed, ik doe m’n best. U weet zeker dat u geen kopje thee meedrinkt?’
‘Nee dank u, ik heb u al lang genoeg opgehouden, nu is Bas aan de beurt. Laat u me maar weten wanneer u dit verslag klaar hebt, dan maak ik een nadere afspraak met u.’

Een halfuur later was hij terug op het bureau en vroeg Paula haar werkzaamheden onmiddellijk te staken. ‘Ik ben hard toe aan een borrel’, zei hij mismoedig. ‘Ga je mee?’
Paula keek hem geamuseerd aan. ‘Jouw feestje?
‘Ik trakteer, ja.’

8

In de bruine kroeg, die uitkeek op het havenkwartier, zaten Benders en Van Es op houten stoelen aan een houten tafeltje zwijgend voor zich uit te staren. Ze waren het met elkaar eens geworden, dat als er niet snel nieuwe feiten op tafel kwamen, het onderzoek dreigde te stranden. Het dossier Mulder was inmiddels uitgegroeid tot een meter schapruimte. De ondersteunende taken van het recherchebijstandsteam waren zo goed als afgerond. Het leven van Evelien was vanaf haar prilste kinderjaren uitgediept. Haar huwelijk met Lakeman werd door de meeste van haar kennissen en vrienden uitgelegd als een normaal huwelijk. Over de reden waarom dit normale huwelijk uiteindelijk strandde, liepen de meningen uiteen. "Uit elkaar gegroeid na haar miskraam. Ze verschilden te veel van elkaar. Lakeman had een ander. Evelien was te ambitieus." Maar in geen van de verklaringen werd gesproken over mishandeling. Na hun scheiding was Evelien twee jaar alleen geweest. Uit die periode werden geen aanknopingspunten gevonden, die konden leiden tot aannemelijke motieven. Losse, kortstondige contacten die werden beperkt tot een avondje uit of een etentje. Ook Paul was heel stellig in zijn verklaring er zeker van te zijn dat zijn zus geen minnaars, anders dan Jurriaan, had gehad. In haar zakelijke contacten werd ze geroemd om haar ambitie. Evelien was een harde werker. Zakelijk, maar altijd fair play. Beide ouders leefden niet meer. Haar vader, de oprichter van het aannemersbedrijf, verloor ze acht jaar geleden. Volgens de mensen, die het dichtst bij haar hadden gestaan, had ze het hier heel moeilijk mee gehad. Evelien was, anders dan haar broer, altijd het lievelingetje van haar vader geweest. Tussen de vader en Paul had het nooit zo geboterd. Maar volgens insiders had dat altijd te maken gehad met de bekende generatiekloof. De oude Mulder was zeer conserva-

tief. Hij ging niet mee met de nieuwe opvattingen over bouwen. Paul daarentegen, was zeer vooruitstrevend, maar vond zijn vader op zijn weg als hij het over schaalvergroting had. Niets opzienbarends dus, dit soort conflicten komt in de beste families voor. Teulings had hem nog laten weten, dat de haren met een aan zekerheid grenzende waarschijnlijkheid inderdaad hadden toebehoord aan een Schotse collie. Maar als bewijs zou dit gegeven geen waarde hebben.
Terwijl Benders dit overdacht, besefte hij plotseling dat hij hierover nog niet met Paula had gesproken. Hij keek naar haar en zag dat ze in diepe gedachten leek verzonken. Ze hadden het zojuist gehad over Bas. Paula was zichtbaar geschrokken toen hij haar vertelde over de geadopteerde zoon van de familie Veldhoven. Over z'n groeiachterstand en z'n concentratieproblemen. "Bij adoptie weet je ook niet wat je in huis haalt", had hij tegen haar gezegd. Hij besefte nu dat die opmerking de nodige onrust teweeg kon hebben gebracht.
'Waar denk je aan, Paula?', vroeg hij bezorgd.
Ze keek geschrokken op. 'Oh, ja sorry. Ik ben niet erg gezellig, denk ik. Wat vroeg je?'
'Waar je aan dacht.'
'Ik was met die adoptie bezig. Marit heeft informatie ingewonnen, maar het is nog een hele procedure, zo'n adoptie.'
'Heb ik je van streek gemaakt met mijn verhaal over Bas?'
'Nee, onzin. Ik wist dat wel. Bij adoptie uit landen als Colombia moet je je goed realiseren, dat je dit soort risico's kan lopen. Kinderen, die ter adoptie worden aangeboden, vormen in ieder geval een risicogroep.'
'Uit 'n land als Colombia verhoog je dit risico wel', beaamde Benders. 'Veelal zijn het kinderen van moeders met een verslavingsprobleem. Hersenbeschadigingen zijn daarbij niet uitgesloten.'
'Dat weten we.'
' Maar dat is voor jullie geen reden om...?'
'Nee', onderbrak Paula hard. 'We zijn ons van dat risico bewust.

Het doel dat we ons daarbij voor ogen stellen, is dat risico waard. Die kinderen zijn daar volstrekt kansloos. Hoe meer ik erover lees en nadenk, hoe meer ik me begin te schamen ooit een donorkind te hebben overwogen.'
Benders knikte. Hij keek haar met een neutrale blik aan. 'Wil je nog wat drinken?'
'Is dat jouw manier van zeggen, dat je onze keuze afkeurt.'
'Onzin. Ik heb diep respect voor jullie keuze. Zelf had ik het niet gekund.'
'Omdat je nooit voor die keuze hebt gestaan.'
'Misschien. Wil je nog wat drinken?'
'Ik lust nog wel een pilsje, ja.'

Toen Benders terug kwam met z'n bestelling was Paula aan het bellen. Aan haar blik te zien was het geen leuterpraatje waarmee ze bezig was. Integendeel. Haar voortdurend knikken maakte hem duidelijk dat het haar ernst was. Ze keek op haar horloge. 'Is goed, meneer Lakeman,' sloot ze het gesprek af, 'met een kwartiertje zijn we bij u.'
'Lakeman?'
Paula knikte. 'Cor Lakeman ja, hij wil een gesprek met ons. Hij zei me informatie te hebben, die van belang kan zijn voor het onderzoek.'
Paula klokte haar pilsje naar binnen en keek ongeduldig toe hoe Benders hetzelfde deed met zijn spa rood.

*

Het was kwart voor vijf toen ze bij Lakeman arriveerden. De dag leek al te zijn overgegaan in de nacht, zo donker was het al. Voor de ingang van het terrein stonden aan beide kanten twee grote verlichte kerstbomen. Benders keek er met verwondering naar. 'Het lijkt of het elk jaar vroeger kerst wordt', zei hij verbaasd.

'Tweeënhalve week,' zei Paula, 'dan is het alweer zover.'
Hij schudde z'n hoofd, alsof hij wilde ontkennen wat Paula zojuist had vastgesteld. Hij opende een stalen hek, dat piepend open ging. In de verte zagen zij Lakeman vergezeld door zijn hond de caravan uitstappen. Met een halende armzwaai maakte hij de rechercheurs duidelijk dat ze konden komen. Zodra Benders en Van Es richting caravan liepen, kwam de hond in tegengestelde richting aanhollen. Even hield hij in en leek het erop dat hij de late bezoekers kwispelend tegemoet wilde komen, maar na een kort commando van zijn baas bedacht de blonde bouvier zich en vervolgde zijn weg naar de ingang.
'Woont u hier ook, meneer Lakeman?', vroeg Paula, nadat ze de caravan waren ingestapt.
'Als ik ja zeg, gaan jullie me dan arresteren vanwege illegale huisvesting?', reageerde hij lachend.
'Nee, maakt u zich geen zorgen. Wij hebben wel wat anders aan ons hoofd.'
'Ik woon in Enkhuizen, maar eerlijkheid gebiedt me te zeggen dat ik hier ook vaak de nacht doorbreng. Ik ben gehecht aan deze plaats. Voel me thuis tussen de spullen, die anderen aanduiden met rotzooi. Voor mij symboliseert deze rotzooi de vergankelijkheid van het leven. Weet je, het klinkt voor jullie wellicht vreemd, maar ik kan me 's morgens vroeg, als ik hier over de werf loop, de zon zie opkomen, vanuit de verte het IJsselmeer hoor ruisen en zilvermeeuwen door de lucht zie zweven, intens gelukkig voelen, tussen al die rotzooi. Er komt dan een gevoel over me heen van: Ik ben er nog, ik ben er nog steeds.'
Paula knikte. 'Ik denk, dat ik dat wel begrijp meneer Lakeman, ik.....'
'Informatie, meneer Lakeman', onderbrak Benders het filosofisch onderhoud. 'U had informatie voor ons.'
'Ja, neemt u mij niet kwalijk, meneer Benders, u hebt gelijk.

Willen jullie wat drinken?'
'Nee, dank u.'
Paula schudde haar hoofd.
'Goed, maar voor ik begin, wil ik er wel bij zeggen dat ik voor mijn beweringen geen enkel bewijs kan aanvoeren. Ik spreek dus vermoedens uit, maar let wel, het is helemaal niet mijn bedoeling om roddels te verkopen. Wat ik u ga vertellen is mijn heilige overtuiging, niet meer en niet minder.'
'Wij luisteren', zei Benders.
De sloper schraapte zijn keel. 'Zes jaar geleden deed ik mee aan een aanbesteding voor het slopen van drie grote industriehallen ten noorden van de spoorlijn, waar nu die supermarkt staat.
'De Igtushallen.'
'Precies.'
'Ik had deze klus op verzoek van de firma Donkersloot begroot op één komma zeven miljoen. Guldens wel te verstaan. Dat lijkt veel geld, maar dat is het niet als je bedenkt dat zowel binnenwanden als daken waren bekleed met asbesthoudend materiaal. De milieuvoorschriften over het slopen van asbest zijn streng, de kosten dus hoog. Maar om kort te gaan: Donkersloot kreeg de klus niet, Mulder wel. Mulder dook acht ton onder de prijs van Donkersloot door. Nou is dat geen opzienbarend bedrag op een klus van totaal dertig miljoen. Maar het is wel een opvallend bedrag wanneer je bedenkt, dat het vrijwel exact het verschil is aan de meerprijs die ik had gecalculeerd voor het volgens de voorschriften verwijderen van het aanwezige asbest.'
Benders knikte. 'En wat is nu uw heilige overtuiging?'
'Dat er is gerotzooid.'
'En waarom denkt u dat uw vermoedens voor ons onderzoek bruikbaar kunnen zijn?'
'Omdat Jurriaan indertijd nog hoofdopzichter van de gemeente was en omdat het slopen van de Igtushallen onder zijn toe-

zicht viel. Acht ton is veel geld, meneer Benders. Acht ton is een mooi startkapitaal voor een architectenbureau.'
Benders keek hem nog steeds niet-begrijpend aan.
'Veldhoven kwam dus nooit meer van haar af', overpeinsde Paula hardop.
'Jij begint het te begrijpen, Paula', zei Lakeman. 'Als mijn vermoedens waar zijn, en ik zelf twijfel daar niet aan, was Veldhoven met handen en voeten gebonden aan de Mulderclan.'
Benders dacht na. Hij herinnerde zich plotseling de uitspraak van Veldhoven: "Soms voelt het als ketens".
'Berusten deze vermoedens niet een beetje op uw rancuneuze gevoelen tegenover de Mulders?'
'Rancune leidt tot niets, inspecteur.'
Benders knikte en stond op. 'Wie sloopte uiteindelijk de hallen?', vroeg hij.
'Een bedrijf uit Friesland, binnen twee weken waren ze kaal. Ik had er twee maanden voor staan.'
'U had destijds nog een relatie met Evelien?'
'Ja, ik heb er toen ook over gesproken met haar. Maar Evelien reageerde hetzelfde als u. "Allemaal rancune", zei ze.'
Benders keek hem nu scherp aan. 'Niet dus?'
'Nee. Dat is mijn stijl ook niet.'
'Goed,' zei Benders zuchtend, 'we gaan zien wat we hiermee kunnen. Zover bedankt, meneer Lakeman.'

Buiten was het gaan sneeuwen. Benders maakte zijn ruiten schoon met het gevoel, dat er zojuist een begin was gemaakt met een doorbraak in de zaak Evelien Mulder. Geld, macht en liefde, het waren de aloude motieven die ten grondslag liggen aan moord en doodslag. Alledrie hadden zich nu verenigd. Te mooi om waar te zijn eigenlijk.
'Toch Veldhoven dus', zei Paula, terwijl ze wegreden.
Benders trok z'n schouders op. 'Het zijn vermoedens.'
'Wat doen we nu?'

‘Ik ga met officier Tilders praten. Wij hebben de capaciteit niet om deze zaak tot op de bodem uit te zoeken. Met zijn toestemming en medewerking moet het mogelijk zijn om erachter te komen of er inderdaad destijds is gesjoemeld.’
‘En tot zover?’
‘Tot zover gaan we gestaag door met ons onderzoek.’

9

Officier van justitie Mr. Thomas Tilders was onmiddellijk bereid Frank Benders te ontvangen. Hij was zelfs zover gegaan eerder gemaakte afspraken te verschuiven om de inspecteur tegemoet te komen. Een gunst, die Benders te danken had aan een uitstekende samenwerking in een voorgaande zaak. Hoewel de extroverte Tilders in niets was te vergelijken met Benders, hadden ze elkaar toen feilloos aangevoeld.
'Ga zitten, Frank,' bulderde de stem van Tilders. Hij was gaan staan om met een weids gebaar zijn verzoek kracht bij te zetten. Tilders was van het postuur Paverotti. Een imposante verschijning, die louter en alleen hierdoor al menig raadsman in verlegenheid had gebracht. Benders gaf Tilders een hand, ging zitten en keek om zich heen. De herinneringen kwamen als vanzelf naar boven. De wit gestuukte wanden, de eiken lambrisering, de manshoge schilderijen, de gekrulde sierlijsten aan het plafond, alsook de leeuwenkoppen die je vanuit elke hoek aanstaarden. Het was er allemaal nog.
'Weinig verandert hier, Thomas', zei hij, en hoorde zelf de afkeuring.
'Veranderingen leiden niet altijd tot verbeteringen.'
'Als dat jouw stelling is had er nu een paard voor je deur gestaan.'
Tilders knikte lachend. 'Die slag is jou, Frank. Eerlijk gezegd is het eigenlijk pure gemakzucht. M'n schoonmaakster klaagt ook steen en been. "Dit hok, daar is geen bijhouden aan", zegt ze steeds.'
'Gelijk heeft ze. Maar goed, ik kom hier niet om commentaar te leveren op dit antieke interieur. Zoals ik je door de telefoon al zei, ik heb een dringend verzoek.'
Tilders draaide aan de punt van zijn snor en keek Benders vragend aan. Met een korte handbeweging maakte hij hem duidelijk dat hij z'n gang kon gaan. Benders vertelde hem met

welke zaak hij bezig was en dat zijn verzoek direct verband kon houden met zijn onderzoek. Tilders had hem al die tijd aandachtig aangekeken.
'Mulder zei je?', vroeg hij onmiddellijk, nadat Benders was uitgesproken.
Benders knikte. 'Mulder, ja. Hij was indertijd de hoofdaannemer.'
Tilders keek hem aan. 'Wil je koffie?'
'Ik heb liever eerst een antwoord.'
'Als je me belooft, dat je na mijn antwoord m'n aanbod accepteert.'
'Niet dus.'
Tilders schudde z'n hoofd. 'Nee Frank, en de reden daarvoor is wellicht nog teleurstellender.'
Benders keek hem niet-begrijpend aan.
'Zes jaar geleden kreeg ik eenzelfde verzoek', verklaarde Tilders. 'Die zaak is toen tot op de bodem uitgezocht, maar geloof me Frank, alles is volgens de regels verlopen.'
'Eenzelfde verzoek?', vroeg Benders ongelovig 'Wat was indertijd de reden om deze zaak te onderzoeken?'
'Hetzelfde verhaal, een concurrerend bedrijf maakte de zaak aanhangig bij de gemeente.'
'Donkersloot?'
'Donkersloot, ja. Een plaatselijke concurrent. Maar geloof me, ze hadden geen poot om op te staan. Het waren louter en alleen veronderstellingen. Een raadslid van gemeentebelangen was zich met deze zaak gaan bemoeien. Hij eiste een onderzoek. De raad had deze eis ingewilligd. Het resultaat daarvan heb ik je zojuist verteld.'
'Shit!!'
'Koffie?'
Benders knikte.
Tilders liep naar achteren en vroeg Benders om even geduld te hebben. Zodra de officier achter de deur verdwenen was,

stampte hij met zijn voet op de houten vloer, ging staan en ijsbeerde getergd door de antieke ruimte. Het leek waarachtig wel of er niets kon meezitten in deze verdomde zaak.
Twee minuten later kwam Tilders terug. Benders ging weer zitten en pakte de koffie aan. 'Teleurgesteld, Frank?'
'Nogal ja', bekende hij.
'Vertel eens?'
Benders deed z'n relaas. Vertelde hem ervan overtuigd te zijn geraakt, dat met dit gegeven een doorbraak in zicht zou komen. 'Ik had daarbij ook de hoop twee vliegen in één klap te kunnen vangen', eindigde hij.
Tilders dronk zwijgend z'n koffie en schudde tussen twee slokken door z'n hoofd. 'Dan heb je je vergist in Mulder', zei hij.
Benders keek hem verrast aan. 'Hoezo vergist?'
'Mulder is een geslepen man', legde Tilders zuchtend uit. 'Hij is bij ons geen onbekende. Er zijn meerdere bedenkingen tegen hem geuit, maar de man is zo glad als aal.'
'Je bedoelt, hij kent de mazen.'
Tilders knikte. 'Hij zwemt er blindelings doorheen.'
'Voorbeeld?'
'Er zijn er talloze. Ik zal er één noemen. Mulder is een middelgroot bouwbedrijf. Gezien z'n omzet zou hij ongeveer tweehonderd man in vaste dienst moeten hebben, maar het zijn er zestig. Het overige besteedt hij uit aan een dienstverlenend bedrijf. Eigenaar van dit dienstverlenend bedrijf is een exhoofduitvoerder van Mulder. Capaciteit: honderdvijftig man, vakmensen die te boek staan als bouwhulpen en ver onder de geldende bouw-CAO worden betaald. Rechercheurs van het Sociaal Fonds Bouwnijverheid vermoeden, dat Mulder de lonen van deze mensen compenseert, toch krijgen ze er geen vinger achter.'
Benders zette z'n lege kopje terug op het bureau en ging staan. 'Is Mulder een moordenaar?', vroeg hij plotseling.
Tilders' lach galmde door de ruimte. 'Wil je dat ik het ver-

lossende woord uitspreek?', vroeg hij nagrinnikend.
Benders spreidde z'n armen. 'Het was niet mijn bedoeling lollig te zijn', zei hij verongelijkt. 'Ik hecht waarde aan je oordeel, dat is alles.'
'Wil je geen koffie meer?'
'Nee, sorry ik moet gaan.'
'Hij is geen moordenaar', vervolgde Tilders ernstig. 'Daar is hij veel te slim voor.'
'Mulder was bezig de firma Donkersloot over te nemen', zei Benders.
'Wat is daar mis mee?'
'Evelien was ertegen. De onderhandelingen werden afgekapt en een dag na de crematie weer hervat.'
'Life goes on.'
'Voor Mulder wel, ja.'
'Luister Frank!', zei Tilders streng. 'Vergeet Mulder als moordenaar. Als hij het al op z'n geweten heeft, zou hij daar zelf nooit z'n handen aan hebben gebrand. Hij zou in dat geval het vuile werk hebben uitbesteed en zelf voor een waterdicht alibi hebben gezorgd.'
'Ik haat deze zaak.'
'Blijf kalm. Wacht je kansen af. Er loopt op dit moment iemand rond met een groot probleem.'
'Frank Benders, ja.'
'Ook, maar er is één groot verschil.'
'En dat is?'
'Jij kunt met je probleem naar buitenkomen, de moordenaar van Evelien Mulder niet.'

*

Benders bleef tot laat in de middag in Alkmaar. Hij had de uitnodiging van Tilders om een borrel met hem te drinken afgeslagen. Bij het verlaten van het pand had hij niet geweten hoe

het verder moest. Te schaars gekleed voor de winterkou was hij de stad ingelopen en had zich voor de zoveelste keer afgevraagd of hij wel een goede rechercheur was. Of hij wel berekend was voor zijn taak. Hoe meer hij het centrum van de stad naderde, hoe meer hij besefte dat zijn gedachten afgleden naar het niveau van de verliezer. Hij vermande zich, trok de kraag van zijn colbert omhoog en begon zijn slenterende pas te versnellen. 'Goed', sprak hij zichzelf toe. 'We zijn nu vier weken met een zaak bezig. Vier weken, waarin we hoegenaamd geen tastbaar resultaat hebben geboekt. Hoe simpel het aanvankelijk leek, hoe complex de zaak nu lijkt. Als we de hondenharen buiten beschouwing laten, zijn er geen sporen. Er zijn motieven, er zijn gelegenheden, maar te duidelijk om waarschijnlijk te zijn. Tilders had gelijk, Mulder zou dit anders aangepakt hebben. Veldhoven heeft een te hoge sociale intelligentie om met dertien messteken zijn ex-geliefde om te brengen, hoe hoog het doel ook zou zijn geweest. Ellen heeft een alibi en nauwelijks een motief. Ze is ruimhartig met de escapades van haar man omgegaan. Ze had het hem vergeven, als ging het om een ondeugend kind dat tegen de afspraak een stap in de richting van de koektrommel had gezet. "Foei, stoute jongen, niet meer doen, hoor."
Hier stokten zijn gedachten. Hij werd overvallen door een gevoel van machteloosheid. Hij miste iets in zijn beredenering. Iets wat hij niet kon benoemen. Alsof er een holle ruimte was ontstaan. Een leemte die opgevuld diende te worden. Hij stond stil voor een damesmodezaak, staarde door de etalageruit en keek in de getekende ogen van een vrouw. Ze droeg een rood mantelpakje dat stond geprijsd voor negenhonderd euro. Dan schoot hem plotseling iets te binnen dat hem opwond, dat hem met andere ogen naar de getekende ogen deed kijken.
Niets is zoals het lijkt Frank. Talloze keren had zijn oude leermeester Bambergen hem dit voorgehouden. De maker van de etalagepop had alles in het werk gesteld om een creatie te maken

die beantwoordde aan het ideaalbeeld van de vrouw. Alles in het werk gesteld, maar bij deze pop was het duidelijk dat het niet was wat het leek. Maar bij haar, bij Ellen, lag dat ingewikkelder. Wie zei dat het de vrouw was, die ze deed voorkomen dat ze was? Wie zei dat Ellen Veldhoven de vrouw was, die ze leek?

*

Tegen half zes was Benders terug op het politiebureau. Hij negeerde de verbaasde blik van Van Raalte en liep met twee treden tegelijk de trap op. In zijn kantoor was het donker. Hij maakte licht en pakte met een geroutineerd gebaar de ordner waarop de initialen E.V. stonden vermeld. Met de haast van een lezer, die benieuwd is naar de afloop van een spannend misdaadverhaal, las hij de verklaringen van Ellen Veldhoven nog eens na. Zoals gewoonlijk maakte hij naast de feitelijke verklaringen een karaktertekening van de ondervraagde. Hij had haar geschetst als een vrouw met een eerlijk en open karakter. Benders klapte de ordner weer dicht om hem na twee seconden opnieuw te openen. Hij las het nogmaals en nogmaals en weer werd hij overvallen door dat onbestemde gevoel. De leemte in zijn gedachten. Hij klapte de ordner nu definitief dicht en legde hem terug op zijn plaats. Vervolgens liep hij naar het raam en staarde schuddend met zijn hoofd de donkere avond in. Alsof hij de wereld niet meer begreep. In de verklaring van Ellen wees niets op de van jaloezie verteerde vrouw die haar rivale door messteken om het leven zou hebben kunnen brengen. Integendeel. Ze had zich gepresenteerd als de vrouw, die weet dat niets menselijks haar vreemd is. Een vrouw die het werk van Gerard Reve las. Psychologie had gestudeerd, rondliep in een zakkerig joggingpak. Een warme persoonlijkheid leek en.... , hoe noemde Paula dat ook al weer? Oh ja, een moederdier was. Teleurgesteld draaide hij zich van het raam, deed het licht uit en verliet zijn kantoor. Hij kon niets bedenken wat niet klopte. Een moederdier. Wat was er mis met een moederdier?

10

Paula van Es verliet goedgemutst het politiebureau. Met grote, bijna huppelende passen liep ze naar haar auto en diepte intussen haar mobiele telefoon uit de binnenzak van haar leren jack. Ze toetste het nummer van Marits' atelier in. Marit nam onmiddellijk op, waarop Paula zich begon te excuseren voor het feit dat het te laat was geworden om de opgegeven bestellingen voor het avondeten nog in huis te halen. Vervolgens stelde ze voor naar Marits' atelier te komen om vanuit daar naar de Griek te gaan. Marit had zonder protest geantwoord dat een prima idee te vinden. Ze borg haar mobiel weer op met het gevoel dat haar dag niet meer stuk kon. Toen stapte ze in haar Panda, claxonneerde luid naar de passerende Van Raalte en Teulings en reed met te hoge snelheid via het Zwaagmergouw richting provinciale weg. Pas toen viel het haar op dat het regende. Dat dit gure weer niet uitnodigde vrolijk te zijn. Nu ook, begreep ze de verbaasde gezichten van Teulings en Van Raalte toen ze hen zo breed lachend had toegezwaaid.
Maar dat viel ook niet uit te leggen, bedacht ze glimlachend. Wisten zij veel.
Zij konden niet weten dat Ellen een uur geleden was langs geweest om de gevraagde verantwoording af te geven van de avond van de moord op Evelien. Een gedetailleerd verslag dat hoegenaamd geen ruimte bood voor twijfels. Maar het was niet dit verslag geweest, dat Paula in een zo goede stemming had gebracht. Nee, ze had met Ellen gesproken over de op handen zijnde adoptie. Het enthousiasme, waarmee deze vrouw over haar ervaringen had verteld, had zo aanstekelijk gewerkt dat ze het liefst vanavond nog op het vliegtuig wilde stappen. Ellen had haar beloofd hen beiden nog eens uit te nodigen bij haar thuis, om erover te praten, of om nog eventuele vragen

te beantwoorden. Ze had over haar zoon gepraat, over Bas. Dat hij naar Nederland was gekomen met een groeiachterstand en dat hij in zijn ontwikkeling wat was achtergebleven. Maar dat ze er alle vertrouwen in had dat dit wel goed zou komen.
"Bas is geen makkelijk kind", had ze beaamd. "Maar weet je, Paula," had ze daarop laten volgen. "Het zijn juist deze kinderen, waaraan je het meest gaat hechten."
Ze had openhartig gesproken over de periode voorafgaande aan de adoptie van Bas. Haar miskramen, haar schuldgevoelens tegenover Jurriaan. Haar afwijzing die ze aanvankelijk had gehad tegenover adoptie. Het gevecht dat ze had moeten leveren om haar eigen kinderwens los te laten. Ze had daarbij tranen in haar ogen gekregen. "Maar het is het allemaal waard geweest", had ze afgesloten. Daarna had ze Paula vragend aangekeken. Ze had dit als een stille wenk opgevat en was toen ook haar verhaal gaan vertellen. Over hoe het was geweest op te groeien in pleeggezinnen. Over hoe het had gevoeld afgewezen te worden door haar eigen moeder.
Ellen kon goed luisteren. Ze had gezegd begrepen te hebben wat ze door had moeten maken. Maar ze had ook gezegd de gevoelens van haar moeder te kunnen begrijpen. Gek genoeg had dit milde oordeel haar goed gedaan. Alsof er een laagje stof van het afschrikkende beeld, dat ze had van haar moeder, was afgeveegd. Tot nog toe had de kleine kring van mensen, tegen wie ze dit had verteld, afwijzend gereageerd. Een afwijzing, die het negatieve beeld, dat ze had van haar moeder, alleen maar versterkte. Ellen had haar uitgelegd dat niet iedere vrouw werd geboren om moeder te zijn. "Het enige, dat jij je moeder kunt verwijten, is dat ze eerlijk tegen je is geweest. De meeste vrouwen in dezelfde omstandigheden zwijgen en voeden een kind op waar ze niet van houden. Ik weet niet of jou dat gelukkiger had gemaakt."

Ik weet niet of jou dat gelukkiger had gemaakt.. Die woorden zweefden nog door Paula's hoofd toen ze het rode verkeerslicht negeerde en zonder op of om te kijken de kruising van de provinciale weg overstak. De gierende remmen van de rode Mercedes Vito overstemden haar ijselijke gil. Met een doffe klap werden beide geluiden het zwijgen opgelegd. Een ogenblik later vlogen de brokstukken van de witte Panda in het rond. De kleine auto werd door de Vito als een willoze prooi op de zachte middenberm gesmakt. Daar, vlak voor een verkeerspaal, kwam hij tot stilstand.
Ze was zich niet meer bewust van het tumult, dat na enkele seconden van apathische stilte op gang was gekomen. Tientallen omstanders dromden zich om de Panda heen. Er werd door de kapotte autoruit naar binnen gekeken, gekrijst, handen voor ogen geslagen en mobiele telefoons uit zakken gehaald. Precies negen minuten later verscheen de politie, anderhalve minuut later gevolgd door een ambulance.

11

De avond na zijn bezoek aan Mr. Tilders zat Benders op de bank voor het raam. Met uitgebluste ogen staarde hij naar buiten. Hij zag Joris komen aanfietsen en zwaaide.
'Waar denk je aan?', vroeg Eline.
'Aan jou.'
'Waaraan, Frank!'
Benders keek haar aan. 'Denk jij dat Joris een goed politieman wordt?', vroeg hij.
Eline knikte. 'Twijfel jij daaraan?'
'Waar moet volgens jou een goed politieman aan voldoen?'
'Hij moet honderd procent betrouwbaar zijn.'
'En dan ben je volgens jou een goed politieman?'
Eline sloeg haar boek dicht. 'Godsamme Frank, is het weer zover. Wil je nog koffie?'
Benders stond op. 'Laat maar, ik haal wel even.'
'Zitten jullie weer vast?'
'Als een huis!!', riep hij vanuit de keuken. Hij kwam terug met twee bekers koffie, zette ze op tafel en ging weer op de bank voor het raam zitten. 'Waar is Femke?'
'Wat is het probleem, Frank?'
Hij pakte zwijgend zijn koffie en dronk met grote slokken z'n beker leeg. 'Geen spoor', zei hij. 'Geen enkel spoor. Alsof er verdomme een geest is langs geweest. Geen sporen van braak. Geen vingerafdrukken anders dan de bewoners, niets! Niets! Niets!'
'Ik dacht dat ik jou had gehoord over hondenharen, pa?'
Joris was vanuit de hal de kamer in komen lopen en keek z'n vader vragend aan.
'Dat klopt, ja. Het had een spoor kunnen zijn als de dader onmiddellijk was opgepakt. Maar we zijn nu vier weken verder.'

'Onzin', reageerde Joris strijdvaardig.
'Onzin wat?'
'Die hondenharen kunnen nog steeds bruikbaar zijn. Het gaat om de confrontatie. Die hond moet gevonden worden. Als jullie ervan overtuigd zijn dat de dader in aanraking is geweest met een hond, moeten jullie proberen de eigenaar van die hond op te sporen.'
'Enig idee over hoeveel hondeneigenaren je praat?'
Joris ging naast zijn vader zitten. Benders zag aan zijn ogen dat hij nog niet van plan was de strijd op te geven.
'Je had het toch over een Lassiehond, pa. Dat is dus een rashond. Zoveel van dat soort honden zullen er in Hoorn niet lopen. De eigenaars daarvan zijn vaak lid van een rasvereniging. Of anders is het mogelijk alle fokkers van Schotse collies te benaderen om erachter te komen of er ooit een Lassiehond aan een inwoner van Hoorn is verkocht.'
Benders keek z'n zoon stomverbaasd aan. Eline was glimlachend verder gaan lezen.
'Overigens,' vervolgde Joris, 'wat anders. In april is er weer de Grand-Prix in Barcelona. Een klasgenoot van mij kan aan kaarten komen. Zin?'
Benders knikte. 'Wordt wel weer eens tijd, ja.'
Joris stond op. 'Denk er nog maar eens over.'
'Hoeft niet, bestel die kaarten maar, ik trakteer.'
'Nee pa!! Over het opsporen van die hondeigenaar bedoel ik.'

Toen z'n zoon de kamer uit was, keek Eline hem veelbetekenend aan. 'Wat denk je, Frank?', vroeg ze plagerig. 'Wordt het een goeie?'
'Ik sta perplex.'
'Ga je er wat mee doen?'
'Absoluut, het is een strohalm, maar niet onmogelijk.'
De telefoon ging. Benders keek op de klok. Tien over elf. Dat

kon Femke zijn. Hij stond met een ruk op en liep naar de telefoon.
'Benders!'
'Frank met mij, met Marit. Paula is.....Ze heeft...'
Marit kwam niet verder. Benders hoorde aan haar stem, dat Paula hoe dan ook iets verschrikkelijks was overkomen. 'Wil je dat ik naar je toekom?', vroeg hij zo kalm mogelijk.
Ze zweeg maar in gedachten zag hij haar knikken.
'Waar zit je?'
'Streekziekenhuis', wist ze er nog uit te persen. Daarna hing ze op. Benders voelde zich koud worden. Dit mocht niet waar zijn. Dit mocht absoluut niet waar zijn. Het drong langzaam tot hem door dat hij zich moest voorbereiden op het tegendeel.

Hij parkeerde z'n auto vlak voor de hoofdingang van het ziekenhuis. De regen kwam met bakken naar beneden. Zodra hij de glazen toegangsdeur van de ontvangsthal opende voelde, hij de spanning toenemen. Achter de balie van de receptie zat een vrouw van ongeveer zijn eigen leeftijd. Ze keek nauwelijks op van haar kruiswoordraadsel, toen hij informeerde naar de locatie waar Paula zich bevond. Ze wees met haar vinger naar een gang rechts. 'Als u de blauwe lijn volgt, ziet u vanzelf een deur met het opschrift intensive care', zei ze gedecideerd. 'Vlak voor deze deur bevindt zich links een ruimte voor het verplegend personeel. Wanneer u daar op de deur klopt, helpt een van de verpleegkundigen u wel verder op weg.'
Benders mompelde een bedankje en liep, zijn jas losknopend, de schaars verlichte gang in. Z'n voetstappen klonken als het onheilspellende tikken van een klok. Pas toen hij de genoemde deur naderde, voelde hij zich weer rustig worden. Alsof hij het onomkeerbare had aanvaard. Op nog geen twintig meter afstand van de toegangsdeur opende zich nu een deur aan de linker gangkant. Marit en een lange, magere man in het wit liepen de gang op. Zonder hem op te merken liepen ze door

de deur, die toegang verschafte tot de ruimte van de afdeling intensive care. Even overwoog hij Marit te roepen, maar besloot haar terugkomst af te wachten. En daar, vlak voor de toegangsdeur, waarachter talloze mensen hun strijd van leven op dood hadden gestreden, bekroop hem de hoop op een goede afloop. Het was Marits houding die hem van z'n grootste vrees had bevrijd. Vijf lange minuten later kwam ze terug. Bijna ontspannen had hij haar de gang op zien komen. Paula was nog in leven, dat wist hij zeker.

Zodra Marit hem zag staan, liep ze op Benders toe en vloog hem om zijn nek. 'Ze redt het, Frank!', riep ze bijna juichend. Met nog rood behuilde ogen keek ze hem lachend aan. 'Ik was net bij haar. Chirurgen zijn uren met haar bezig geweest. Toen ze het ziekenhuis was ingedragen, was haar toestand uiterst kritiek. Dokter Vriend heeft me zojuist de verzekering gegeven, dat er geen redenen meer zijn om voor haar leven te vrezen.'
De lange magere man, waarmee Marit zojuist de gang was opgekomen, bevestigde Benders met een geruststellende knik dat het gevaar inderdaad was geweken. 'Uw dochter heeft geluk gehad, meneer Van Es, ze.....'
Benders onderbrak hem glimlachend en stelde zich voor. 'Paula is mijn collega, maar inderdaad ze voelt voor mij als een dochter.'
De arts sprak over honderden van een millimeter, die Paula hadden behoed van een dwarslaesie. De operatie was uiterst riskant geweest. 'Ik kan u eerlijk zeggen, dat ik deze afloop niet had durven voorspellen.'
Marit pakte Benders bij z'n arm. 'Kom Frank, binnen is er koffie, Ellen is er ook.'
'Ellen?'
'Ellen Veldhoven, ja. Ze belde me vanavond om een afspraak te maken, juist na het bericht van....' Marit schoot vol. Benders

legde een arm over haar schouder. 'Stil maar', zei hij kalm. 'Ik hoor het allemaal nog wel.'
Dokter Vriend nam afscheid van Marit en Benders. Marit bedankte de arts voor zijn inzet en liep daarna met Benders de ruimte voor het verplegend personeel in. Benders zag Ellen aan een tafel zitten. Ze zat met haar rug naar hem toe en was zo druk in gesprek, dat ze hun binnenkomst niet had opgemerkt. Druk gebarend ging ze door met haar betoog tegen een man van wie Benders vermoedde dat hij verpleegkundige was. 'Hun impulsieve karakter,' hoorde hij haar zeggen, 'maakt dat ze moeilijk in staat zijn kleine en grote problemen op een normale en gecontroleerde manier op te lossen en....' Ze stokte. Blijkbaar begreep ze dat de aandacht van de man verslapte, doordat hij over haar schouder naar Benders knikte. Nadat ze achterom had gekeken, stond ze onmiddellijk op, liep glimlachend op Benders toe en gaf hem een hand. 'Fijn voor u, inspecteur', zei ze zacht. 'Fijn voor ons allemaal dat het zo is afgelopen. Wilt u koffie?'
Benders knikte, keek op zijn horloge en ging zitten. Het was kwart over elf. Hij keek naar Ellen, naar Marit en vervolgens naar de verpleegkundige. Hij vroeg zich af of dit allemaal echt was. Of hij straks niet wakker zou worden uit deze wonderlijke droom.

*

Eline Benders klikte het bedlampje aan en ging rechtop in bed zitten. 'Wil je erover praten, Frank?'
Benders schudde z'n hoofd. 'Ga nou maar slapen, het is twee uur.'
'Slapen naast een draaimolen lukt toch niet, vertel het nou maar.'
Na een paar brommende geluiden volgde hij haar voorbeeld en ging naast haar zitten.

‘Ik breek m’n kop over het feit dat Ellen vanavond bij Paula was’, begon hij. ‘Nota bene nog eerder dan ik er was.’
‘Heb je haar dat niet gevraagd dan?’
‘Nee. Waarom zou ik?’
‘Om te kunnen slapen, bijvoorbeeld.’
‘Onzin, Eline. Trouwens, ik was daar niet als rechercheur.’
‘Als je morgen Marit spreekt, krijg je het verhaal wel uitgelegd, er zal gerust een simpele verklaring voor zijn. Was dat het?’
‘Ik ben Paula voor zeker drie maanden kwijt.’
‘Drie maanden!’, zei ze verwijtend. ‘Je had haar ook voorgoed kwijt kunnen zijn.’
Benders zuchtte. ‘Hoe laat was Femke thuis?’
‘Vlak nadat jij weg was. Ze was bij haar vriend.’
‘Haar vriend?’
‘Ze heeft een nieuwe vriend, ja.’
‘En dat hoor ik nu pas.’
‘Femke vertelde het me gisteravond, ze kent hem een maand en is tot over haar oren verliefd.’
‘Wat is het voor ’n jongen?’
‘Man. Het is een man. Hij is eenendertig, historicus en sinds twee jaar gescheiden.’
‘Jezus Eline, dit meen je niet. Fem is zeventien, wat moet ze nou met…..?’
‘Wat alle verliefde meisjes moeten, Frank. Genieten.’
‘Genieten? Femke is nog een kind. Ze heeft geen idee waar ze aan begint.’
‘ Besefte jij waar je aan begon?’
‘Dat was anders.’
‘Onzin! Verliefdheid is uniform. Het is als een virus. Iedereen kan worden getroffen, en goddank is het niet te bestrijden.’
Benders viel stil. Eline’s gelijk drong tot hem door. Zijn verliefdheid op Grazyna was ook niet te bestrijden geweest. Maar verdomme, Femke, met een eenendertigjarige gescheiden histo-

ricus. Hij begon zich al een beeld van de man te vormen. Geitenwollen sokken, sandalen en een baard, onherroepelijk een baard. Hij keek opzij naar Eline, maar ontdekte bij haar geen spoor van ongerustheid. 'Dus jij maakt je geen zorgen als mijn dochter verliefd is geworden op een veertien jaar oudere, gescheiden man?', vroeg hij geërgerd.
'Zorgen waarover? Ik heb onze dochter in geen maanden zo gelukkig gezien.'
Hij hoorde het venijn in het woordje onze en erkende zijn falende woordkeus.
'Sorry Eline, ik...'
'Het is goed Frank', onderbrak ze hem kalm. 'Vaders voelen nu eenmaal anders. En nu wil ik slapen.'
Ze klikte het bedlampje uit en ging weer liggen. Benders volgde haar voorbeeld en probeerde zijn verwarde geest te ordenen. Het lukte niet. Femke was zijn alles. Achttien jaar geleden verwekt, in Rome. Een onvergetelijke reis, een onvergetelijke nacht, een prachtig souvenir....
Uiteindelijk viel hij in slaap.

De receptionist keek nauwelijks verbaasd toen hij het hotel waar hij verbleef midden in de nacht verliet. Het was een heldere nacht en er stonden opvallend veel sterren aan de hemel. Bij de Fontana di Trevi stond hij stil, draaide zich om, wierp een muntje over zijn schouder en wachtte op het plonsje waarna hij zijn wens uit zou mogen spreken. Toen na tientallen seconden het verwachte geluid uitbleef, draaide hij zich om en keek verbaasd naar de vrouw die op de rand van de fontein zat. Met zijn muntje in haar hand keek ze hem glimlachend aan. Ze stond met dezelfde glimlach op, sloot haar linkerhand om het muntje, liep naar hem toe en pakte stilzwijgend met haar rechterhand zijn arm. Zonder protest liep hij met haar mee. De vrouw was van een ongekende schoonheid. Het losse, lange, zwarte haar danste met elke stap over haar ranke schouders. Ze was gekleed in een mouwloze zwarte coltrui waarboven haar roomwitte gezicht prachtig afstak. Daaronder droeg ze een nauwsluitende, zwarte rok tot even boven haar knieën. Haar bewegingen waren gracieus en hij voelde zich lomp naast de gratie van de vrouw die hem met een goddelijke glimlach over het Forum Romanum voerde. Nog steeds zwijgend begeleidde ze hem met vaste hand via smalle straatjes door donkere ondergrondse gangen naar een hoger gelegen immens groot spoorwegstation, waar vier felrood gekleurde treinen tegenover elkaar op een vertreksein leken te wachten. Passaggio a livello stond er met geel verlichte letters voor de toegang tot het perron te lezen. Met lichte dwang duwde ze hem een met marmer beklede trap op, waarna ze hem bovengekomen meevoerde tot het hart van de spoorwegkruising. Pas daar liet ze voor het eerst zijn arm los, sloot zacht met haar duimen zijn ogen en draaide hem tientallen keren rond z'n eigen as. Toen hield ze hem stil, maakte zijn ogen weer open en drukte het muntje terug in zijn hand. Door met haar arm wegwerpbewegingen over haar schouder te maken, maakte ze hem duidelijk dat hij zijn muntje moest gooien. Zonder aarzelen deed hij wat hem werd opgedragen. Twee seconden later hoorde hij het geldstuk neerkomen. Het was het geluid van metaal op metaal. Hij draaide zich om en zag het zilverachtige muntstukje glinsteren op de roestbruine rails, waarop een trein uit zuidelijke richting zich traag in beweging begon te zetten. Hij wilde uit het hart van de kruising stappen om een confrontatie met de felrode trein te voorkomen. Maar het lukte niet, zijn voeten bleven als in beton gegoten staan. Hij keek verwilderd om zich heen. De trein kwam als een sluipend monster naderbij. De vrouw was verdwenen. Hij wilde schreeuwen, maar kwam niet verder dan geluidloze ademstoten. Hij keek angstig voor zich uit. Achter het glas zag hij een vrouw, die in niets meer had geleken op de vrouw die hem naar deze onmogelijke plaats had geleid. Ze keek hem grijnzend aan. Haar ontblote boventanden glinsterden onheilspellend in het heldere maanlicht. Hij begon wild om zich heen te slaan, alsof hij de trein die hem nu op enkele meters was genaderd van zich wilde afweren. Maar het rode monster denderde voort......

Ver weg hoorde hij hoe iemand hem toeschreeuwde, dat hij moest stoppen. Hij opende zijn ogen. Eline had zijn arm vast. Zei hem dat hij moest hebben gedroomd. Maar hij wist zich niets van een droom te herinneren. Laat staan dat hij zich kon herinneren Eline te hebben geslagen.

*

Nadat Benders diezelfde ochtend om halfzeven wakker werd, voelde hij zich uitgerust. Zonder aarzeling stapte hij uit bed. Waste en scheerde zich, kleedde zich in de logeerkamer aan om Eline niet onnodig wakker te maken, schoot zich in z'n platgetrapte pantoffels en liep naar beneden. Als eerste zette hij de thermostaat op drieëntwintig graden, pakte de krant uit de brievenbus en begon zacht neuriënd zijn ontbijt klaar te maken. Hij genoot van de ochtendrust in huis, waar hij, zonder gestoord te worden in zijn gedachten, volledig zichzelf kon zijn. In de krant viel zijn oog op een artikel die het nijpende cellentekort weer eens aan de orde stelde. Voor de zoveelste keer beloofden regeringsleiders deze tekorten zo snel mogelijk op te lossen. Maar Benders wist al te goed, dat dit soort uitspraken geen hout sneden. Hij haatte politiek en twijfelde al lange tijd aan de integriteit van de bedrijvers hiervan. Het regionale nieuws vermeldde het verkeersongeluk, waarbij Paula was betrokken. Hierdoor gingen zijn gedachten automatisch naar de vorige avond. Getuigen hadden gezien dat Paula zonder aarzeling het rode verkeerslicht had genegeerd en vervolgens de kruising was overgestoken. Paula moest een black-out

hebben gehad. Goed, het was een stevige rijdster, maar wel altijd alert. Oververmoeidheid misschien? Ze hield van haar werk en schuwde waar nodig geen extra inzet. Hij nam zich voor erop toe te zien, dat ze zichzelf wat meer in acht zou nemen wanneer ze eenmaal hersteld was. Hij las verder dat de bestuurder van de Mercedes Vito met de schrik was vrijgekomen, maar dat de bestuurster van de Fiat Panda, een achtentwintigjarige rechercheur van politie, in kritieke toestand was overgebracht naar het Streekziekenhuis. Benders vloekte inwendig. Wat ging het de lezer aan dat het hier politie betrof, vroeg hij zich nijdig af. Zouden ze dat ook hebben geschreven als het om een banketbakker was gegaan? Met een woest gebaar sloeg hij de krant dicht. Hij wist maar al te goed wat dit soort berichten voor effect hadden.
Hij ging verder met z'n ontbijt. Het goede humeur, waarmee hij deze ochtend was begonnen, was kapot geschreven. Vanmiddag zou hij weer een bezoek aan het ziekenhuis brengen, nam hij zich voor. Voordat hij gisteravond het ziekenhuis verliet, werd hem verzekerd dat haar toestand stabiel was. "De crisis is voorbij", had de verpleegkundige hem laten weten. "Uw assistente houdt hier geen blijvend letsel aan over." Ellen had hem erop gewezen dat deze uitspraak voorbarig was geweest. Dat Paula weliswaar lichamelijk volledig zou kunnen herstellen, maar dat letselschade zich niet beperkte tot het lichaam. Dat het nog maar helemaal de vraag was in hoeverre ze deze klap geestelijk te boven zou komen. Benders had daar tegenin gebracht dat hij ervan overtuigd was, dat Paula sterk genoeg was om dit het hoofd te kunnen bieden. Ze had voor hetere vuren gestaan. Ze hadden tegelijkertijd het ziekenhuis verlaten en Ellen had hem terloops gevraagd of er meer duidelijkheid was gekomen in de zaak Evelien Mulder. "Ik heb de indruk dat mijn man nogal gebukt gaat onder zijn schuldgevoelens", had ze gezegd. "Het zal voor zijn verwerking goed zijn als de dader van dit afschuwelijke misdrijf gepakt zou zijn. Dat alles een plaats

krijgt." Ze had hem daarbij dwingend aangekeken. "Begrijpt u dat, meneer Benders?"
'Begrijpt u dat?', herhaalde hij nu smalend. Alsof hij verdomme achterlijk was. Alsof hem er niet alles aan was gelegen de dader te pakken. Hij spoelde hoofdschuddend zijn laatste hap brood weg met het restant lauwe thee en stond op. Kwart voor acht zag hij op de klok. Hij ging naar boven, poetste z'n tanden, stak z'n hoofd om de slaapkamerdeur om Eline gedag te zeggen en vertrok.
Het was donker en niet koud voor de tijd van het jaar. Binnenkort zou het al kerst zijn. Hij had er geen idee van, het waren alleen de hier en daar verlichte bomen die hem eraan herinnerden. Zijn hoofd stond er ook niet naar. Voor vandaag had hij zich voorgenomen werk te maken van de zoektocht naar de Lassie-hond. Onderweg besloot hij Teulings voor dit karretje te spannen. Hij wist met welke toewijding Ben dit soort zaken zou aanpakken. Ben had voorgesteld via de media te proberen de eigenaar op te sporen, maar Benders had dit voorstel van de hand gewezen om de dader niet onnodig wakker te schudden. Nee, overdacht hij tevreden. Dat idee van Joris was perfect.
Hij stak de kruising over waar Paula gistermiddag door de Vito werd gegrepen. Hier en daar zag hij nog de stukjes glas in de middenberm glinsteren en even ging er een lichte huivering door hem heen. Buiten was het inmiddels gaan regenen en toen Benders de nog lege parkeerplaats voor het bureau opreed, drong tot hem door dat hij zijn jas had vergeten. Hij vloekte. Wat was er aan de hand met hem? Hij vergat de meest simpele dingen. Het leek wel of hij seniel werd.
Nadat hij uit z'n auto was gestapt, liep hij met grote stappen richting bureau. Met een gevoel van grote leegte bereikte hij zijn kantoor. Hij miste Paula nu al.

*

In de hoge, steriele kamer schoof een verpleegkundige met een geroutineerd gebaar het gordijnscherm rond het bed van Paula open. Met een even geroutineerde glimlach knikte ze Paula toe. 'Zo, u voelt zich nu vast wel opgefrist', zei ze monter. Paula kreeg geen gelegenheid te antwoorden. De vrouw liep al met grote passen richting deur. Voor ze die definitief achter zich sloot, draaide ze zich nog één keer om. Ze keek Paula dwingend aan. 'Denkt u erom dat u blijft liggen!', gebood ze luid. 'Mocht u wat nodig hebben, kunt u op de bel rechts van u drukken'
Paula knikte gedwee. Zodra de vrouw was verdwenen keek ze hulpeloos om zich heen. Het was twee uur in de middag. Het besef van het gebeurde was stukjes bij beetjes tot haar doorgedrongen. Ze staarde naar het hoge plafond. Langzaam, als in een vertraagde herhaling, trokken de beelden van de vorige avond aan haar voorbij. De euforie na de ontmoeting met Ellen, de afspraak die ze had gemaakt met Marit om te gaan eten bij de Griek en toen….. Ze rilde. Ze had geluk gehad, had de arts gezegd. Ze sloot haar ogen. 'Geluk', fluisterde ze zacht. Haar ogen vulden zich met tranen. Ze liet ze gaan, zonder protest en zonder weerstand jankte ze haar emoties uit haar lijf. Na twee minuten was ze uitgehuild. Ze probeerde zich omhoog te hijsen om meer van de buitenwereld te kunnen zien, maar moest na de eerste poging deze strijd al staken. Een scheut van pijn trok door haar onderrug. Ze zuchtte en keek omhoog naar buiten. De ramen waren nat. Het regende en aan de lucht te zien zou het dit voorlopig blijven doen ook. "U zult zich voorlopig rustig moeten houden", had de arts gezegd. Toen ze hem vroeg wat hij bedoelde met voorlopig, was ze geschrokken van zijn antwoord. Minstens tien weken. Ze had veel bloed verloren, een zware operatie moeten ondergaan en ook de gecompliceerde beenbreuk vergde

zijn tijd. Maar dat kon helemaal niet, ze kon niet zomaar tien weken in bed blijven liggen om hulpeloos toe te zien hoe Frank aan de zaak Evelien Mulder moest blijven ploeteren.
Haar blik zakte naar beneden, naar de bloemen op de vensterbank die de verpleegkundige zojuist had neergezet. "Van een vriendin van u", had ze gezegd. Lief van Marit. De verpleegkundige had haar onder het wassen verteld, dat er 's middags om vier uur bezoek zou zijn. Dat ze zelf aan moest geven hier wel of niet aan toe te zijn. "Het is in uw eigen belang, dat u eerlijk hierover bent", had ze met nadruk gezegd. In plaats van "mens zeur niet" te zeggen, had ze geknikt en de vrouw verteld zich juist op bezoek te verheugen. Ze verlangde ernaar Marit te zien. Haar kennende moet ze zich lam geschrokken zijn. Ze keek weer naar de bloemen. Ongetwijfeld waren haar lievelingstulpen niet te krijgen geweest, waardoor Marit voor herfstasters was gegaan. Buiten striemde de regen tegen de ramen, ze voelde haar ogen zwaar worden en seconden later zakte ze weg in een diepe slaap.

Twee uur later opende ze haar ogen en keek ze in het glimlachende gezicht van Marit. 'Daar ben je eindelijk', hoorde ze haar zeggen. Paula glimlachte terug en strekte langzaam haar hand over het witte laken naar haar geliefde. Marit pakte de uitgestoken hand in haar beide handen en liet haar tranen de vrije loop. Seconden lang bleven ze elkaar zwijgend aankijken. Ze hadden geen woorden nodig om uit te drukken wat dit moment voor hen betekende. Eindelijk liet Marit Paula's hand los en droogde met de punt van het laken haar tranen.
'Hoe voel je je, Paultje?'
'Ik voel me goed', zei Paula flink. 'Naar omstandigheden dan', liet ze er glimlachend op volgen. 'Als ik stil blijf liggen is er niets aan de hand, maar ik moet me niet bewegen, want dan verga ik van de pijn.'
'Stil blijven liggen dus.'

Paula knikte. ‘Sorry, dat ik je zo heb laten schrikken.’
‘Onzin, Paultje’, zei ze boos. ‘Kun je je herinneren wat er is gebeurd?’
‘Ja, ik schijn door rood te zijn gereden. Tot het moment van de aanrijding is alles me nog glashelder. Wat er daarna met me is gebeurd, heb ik van horen zeggen. Ze zeggen dat ik geluk heb gehad.’
‘Dat we geluk hebben gehad’, verbeterde Marit. Ze pakte Paula’s hand weer. ‘Het was een spannende nacht voor ons.’
Paula keek haar vragend aan. ‘Wat bedoel je met: voor ons?’
Voor Frank, voor Ellen, en voor mij natuurlijk.’
‘Waren…?’
‘Ja’, onderbrak Marit. Ze vertelde over de afspraak die Ellen had willen maken, maar dat ze op dat moment nog niet wist dat ze twee minuten daarvoor het telefoontje van het ziekenhuis had gekregen. ‘Vanuit het ziekenhuis belde ik Frank’, vervolgde ze. ‘Die kwam ook onmiddellijk. Leuk mens trouwens, die Ellen’, sloot Marit af. ‘Ze was vreselijk bezorgd.’
Paula knikte vermoeid. Ze keek Marit aan. ‘Nog bedankt voor je bloemen’, zei ze zacht.
‘Bloemen?’, vroeg Marit verwonderd.
Paula wees naar de vensterbank. ‘Zijn die niet van jou dan?’
‘Kom nou Paultje, herfstasters, ik geef jou toch geen herfstasters.’
‘Van een vriendin, zei de verpleegster.’
Marit trok haar schouders op. ‘Ik wilde tulpen voor je meenemen, maar die zagen er niet uit’, zei ze verontschuldigend. ‘En je weet ik hoe ik ben, dan maar niks.’
Paula keek weer naar de bloemen. ‘Ik had dat moeten weten’, zei ze glimlachend. ‘De vraag blijft alleen van wie ze dan wel zijn.’
Marit stond op. ‘Daar komen we nog wel achter’, zei ze. ‘Ik laat je nu weer alleen, je bent vermoeid. Vanavond kom ik weer langs. Dan breng ik tulpen voor je mee.’

‘Je bent lief Mar, ik zal je missen.’
Marit gaf haar een kus. ‘Tot straks, ik hou van je.’

12

Frank Benders had in de vergadering alles uit de kast moeten halen om z'n collega's te overtuigen van het belang dat hij hechtte aan het vinden van de eigenaar van de Schotse collie. De enige medestander voor deze actie vond hij in de persoon van Ben Teulings. Het argument, dat Teulings aanvoerde, bleek uiteindelijk doorslaggevend te zijn. Zes jaar geleden had hij als ondersteunend rechercheur in een moordzaak in de Gelderse Veluwe een soortgelijk geval bij de hand gehad. Een hondenhaar op de kleding van het slachtoffer bleek toen de doorslag te hebben gegeven bij het vinden van de moordenaar. "Alleen al de confrontatie met dit gegeven was voldoende geweest om de man toen door te laten slaan", had Teulings beweerd. Ze waren omgegaan. Teulings' overwinnaarlachje na de vergadering werd door Benders beantwoord met een knipoog.
'Nooit eerder van dat verhaal gehoord, Ben.'
'Ik ook niet', zei Teulings. 'Maar die sukkels vroegen erom.'
Benders grijnsde. 'Kom straks bij me langs, dan spreken we het nog even door.'
Teulings knikte en liep door naar beneden. Benders bleef alleen achter in zijn kantoor. Hij liep met zijn handen in zijn zakken naar het raam en keek naar de grote druppels regen die met kracht tegen het raam uiteenspatten. Hij haatte dit soort vergaderingen. Hij ergerde zich aan de mentaliteit van voornamelijk de jongere rechercheurs die hun gelijk boven het belang van de zaak uit wilden tillen. "Rechercheren is een teamsport", had hij ze al meerdere keren voorgehouden. "Als je de bal niet kunt afgeven, kun je beter een andere sport zoeken." Hij zuchtte. Het waren de wijze woorden van z'n oude leermeester, Cees Bambergen. Maar het ontzag dat hij had leren krijgen voor deze oude bikkel was hem nooit ten deel gevallen. Integendeel zelfs. Bij het naar voren brengen van zijn voorstel een uitge-

breid onderzoek in te stellen naar de Lassiehond werd er naar zijn verstand geïnformeerd. "Waar zijn we nou mee bezig, Frank?", had een van de rechercheurs gevraagd. "We zoeken een moordenaar, we zijn geen dierenasiel." Hij had de lachers op z'n hand gekregen en Benders had hard met zijn vuist op tafel moeten slaan om ze weer tot de orde te roepen. Teulings had daarop zijn verhaal met veel theater te berde gebracht. Benders grijnsde weer. Ben had gelijk, die sukkels vroegen erom. Hij draaide zich weer van het raam en keek op de klok. Half vijf. Als het goed was, was Marit terug van haar bezoek aan het ziekenhuis. Zijn voornemen om ook te gaan was gedwarsboomd door de vergadering. Hij toetste het nummer van Marit in en wachtte niet zonder spanning op haar stem.
'Met Marit.'
'Marit met mij, met Frank. Hoe was het bij Paula?'
'Goed, Frank. Ze was nog erg moe, maar ze zag er goed uit.'
'Heb je de arts nog gesproken?'
'Ja, hij was tevreden over haar herstel, maar wilde nog geen uitspraak doen over de duur van haar verblijf in het ziekenhuis.'
'Kan ik begrijpen', zei Benders. 'Nu heb ik nog een andere vraag voor je.'
'Vraag maar.'
'Waarom was Ellen gisteravond ook in het ziekenhuis? Haar aanwezigheid verraste me.'
Eerst hoorde hij een kort lachje, gevolgd door de simpele verklaring. Hij had haar knikkend aangehoord. 'Dan is het me duidelijk, ja', beaamde hij. Omdat hij verder niets meer wist te zeggen, wilde hij ophangen.
'Frank?'
'Ja?'
'Weet jij of Eline vanmorgen bloemen bij Paula heeft laten bezorgen?'
'Eline? Nee, dat geloof ik niet. Ik heb daar niets over gehoord.'

‘Herfstasters. Een boeket herfstasters.’
‘Dat geloof ik niet. Eline houdt helemaal niet van herfstasters.’
‘Paula kreeg een boeket herfstasters. Van een vriendin, had de verpleegkundige tegen haar gezegd.’
‘Dat is dan toch attent van die vriendin.’
‘Het zou attenter zijn geweest als ze er even een kaartje bij had gedaan!’
Benders hoorde de bijtende toon. ‘Wie het ook geweest mag zijn, ze heeft weinig smaak.’
‘Hoe bedoel je?’
‘Herfstasters’, zei hij laatdunkend. ‘Wie geeft er nou herfstasters?’

Nadat Benders de hoorn op het toestel had teruggelegd, staarde hij enige seconden gedachteloos voor zich uit. Buiten striemde de regen ongekend fel tegen de ruiten. Alsof de natuur bezig was het solide bouwwerk op de proef te stellen. Eigenlijk best knap, bedacht Benders ineens. Bouwwerken in ons land moeten toch maar bestand zijn tegen dit wisselvallige klimaat. Regen, storm, vorst, hitte. Ze krijgen heel wat voor hun kiezen. Automatisch gingen z’n gedachten terug naar bouwbedrijf Mulder. Twee dagen geleden was hij nog langs het kantorencomplex gereden, dat hij eerder had bezocht. De gevels rondom waren klaar. Het gebouw was glas- en waterdicht. Hij had zich jaloers gevoeld over de snelheid waarmee dit was gebeurd. Hij dacht weer aan de verhouding tussen Mulder en Lakeman. Ex-zwagers, van wie hem nooit duidelijk was geworden wie van beide heren de waarheid sprak. Door niemand werd ooit het verhaal, dat de sloper zijn zus had mishandeld, bevestigd. Mulder zou dit dus uit z’n duim hebben gezogen. Maar waarom? Om Lakeman een loer te willen draaien? Van de andere kant, de beweringen van Lakeman tegen Mulder werden ook niet bevestigd. Uit onderzoek was niets gebleken van frauduleuze handelingen tijdens de sloop van de Igtusgebouwen. En ook hier kan

de vraag worden gesteld: maar waarom? Rancune? Of was Mulder wellicht bang voor de aantijgingen van Lakeman? Probeerde hij Lakeman in een kwaad daglicht te stellen om hem als getuige onbetrouwbaar te maken? Wist Lakeman meer dan Mulder lief was? Benders zuchtte. Misschien moest hij hierin meer energie steken. Misschien moest hij beide heren het vuur nader aan hun schenen gaan leggen.
Hij werd in zijn gedachten gestoord door een zoemende telefoon. Zuchtend nam hij de hoorn op.
'Afdeling recherche, met Benders spreekt u.'
'Inspecteur Benders?'
'Daar spreekt u mee, ja.'
'Met Veldhoven, Jurriaan Veldhoven. Is het mogelijk dat ik u kan spreken, ik bedoel kan ik langs het bureau komen om u onder vier ogen te spreken?'
'Nu?'
'Ja, als dat mogelijk is, graag.'
Benders keek op z'n horloge. Twee uur. Er werd op de deur geklopt. 'Het is goed, komt u maar.' Ben Teulings kwam binnen en keek de inspecteur vragend aan.
Benders legde de hoorn terug en wees Teulings naar een stoel tegenover hem. 'Dat was niet voor jou bedoeld Ben, maar evengoed van harte welkom. Koffie?'
Teulings knikte. 'Lekker ja.'
Terwijl de nerveus klinkende Veldhoven nog door z'n hoofd speelde, vroeg hij Teulings of hij melk en suiker gebruikte.
'Wanneer leer je dat nou eens, Frank?', reageerde Teulings lachend. 'Ik drink m'n koffie al twaalf jaar zwart.'
'Sorry Ben, leeftijd denk ik.'
'Onzin, m'n schoonmoeder is tweeëntachtig, die weet al dertig jaar hoe ik m'n koffie drink.'
'Knap.'
'Dat niet, maar het is een schat van een mens.'
Benders lachte. 'Hoe ga je het aanpakken, Ben?'

'Zoals jij zelf voorstelde. Eigenlijk is het heel simpel. De rasvereniging van Schotse collies hebben een eigen site, www.schotsecollie.nl. Alle fokkers staan daarin. De meeste van deze fokkers hebben ook weer een eigen site, waarop een nauwkeurige stamboomregistratie staat vermeld. Het zal een uurtje zoeken worden, maar ik denk dat het minder gecompliceerd wordt dan wij denken. Ik heb overigens al een e-mail naar de rasvereniging gestuurd met het verzoek een lijst van de eventueel in Hoorn woonachtige leden toe te sturen.'
Benders keek Teulings aan. Het tempo, waarin deze technisch rechercheur informeerde was nauwelijks bij te benen, maar dat lag ook aan zichzelf. Hij was er niet bij met z'n kop. Z'n gedachten waren bij dat telefoontje van Veldhoven. Iets in de stem van de man had hem verontrust. Het was niet de kalme Jurriaan van eerdere gesprekken. Dit keer had hij nerveus geklonken, bloednerveus zelfs.

13

'Als ik ongelegen kom, moet je het zeggen, hoor Paula.' Ellen trok haar zwart geruite jas uit en keek om zich heen.
'Hang die natte jas maar over de stoel Ellen, daar droogt hij het best.'
Ze negeerde Paula's raad en spreidde de jas uit over een radiator. 'Zo', zei ze. 'Dat is beter.'
Paula knikte naar de stoel aan haar bed. 'Ga zitten. Je komt helemaal niet ongelegen, ik vind het juist gezellig dat je er bent. Marit is net een kwartier weg, ik ben juist wakker geworden na een kort hazenslaapje.'
'Hoe gaat het?'
'Ik voel me nog wat slap, maar voor de rest gaat het goed.'
Ellen schoof de stoel wat dichter naar het bed en ging zitten. Het korte haar was kletsnat en haar gezicht glimmend rood van het natte koude weer. Paula keek er met een glimlach naar. Ze mocht Ellen. De openheid waarmee deze vrouw de wereld tegemoet trad had iets aandoenlijks, alsof het kind in haar altijd was blijven bestaan. Tijdens hun laatste gesprek had ze gezegd dat ze tweeënveertig was. Vier jaar ouder dan haar man, maar dat leeftijdsverschil was hen absoluut niet aan te zien. De wat zorgelijke blik van Jurriaan maakte hem ouder dan achtendertig. Ellens jeugdige uitstraling daarentegen maakte haar jonger.
'Ik hoorde van Marit, dat je gisteravond ook in het ziekenhuis was', vervolgde Paula.
Ellen knikte. 'Je heb ons behoorlijk laten schrikken, ja. Toen Marit het me gisteren vertelde, begon ik acuut te hyperventileren.'
'Ik ben ontzettend stom geweest.'
'En je hebt ontzettend geluk gehad.'
'God, ja. Ik moet er niet aan denken als....'

‘Daar moet je ook niet aan denken’, onderbrak Ellen. ‘Dat geluk had je nog te goed, je hebt ellende genoeg gehad.’
Paula glimlachte knikkend. ‘En hoe is het thuis?’, vroeg ze. ‘Is de rust een beetje weergekeerd?’
Even leek het open gezicht zich te willen sluiten, maar toen Paula haar vragend aankeek, opende het zich weer onmiddellijk. ‘Bij mij wel’, zei ze snel.
Paula keek haar onderzoekend aan. ‘Maar...?’
Ellen zuchtte. ‘Ik maak me een beetje zorgen om Jurriaan. Hij is zichzelf niet meer. Hij kan het niet meer uit z’n hoofd zetten. Niet dat hij het met zoveel woorden zegt, maar ik ben ervan overtuigd dat hij zich schuldig voelt. Schuldig aan de dood van Evelien.’
‘Waar uit zich dat dan in?’
‘Hij ontloopt me. Als ik met hem wil praten, geeft hij ontwijkende antwoorden. Hij gaat gewoon de confrontatie met het gebeurde uit de weg. Ik herken dit gedrag. Hij maakt zichzelf wijs schuldig te zijn. Hij heeft haar achtergelaten. Achtergelaten, terwijl ze ziek was. Te ziek en te zwak om zichzelf te kunnen verdedigen. Hij had dat moeten beseffen. Hij had haar dit noodlot kunnen besparen. Terwijl hij donders goed weet dat dit niet zo is, maar hij wil lijden.’
‘Een manier van verwerken misschien?’
‘Ja, maar wel de verkeerde manier. Als dit te lang duurt, gaat hij eraan onderdoor. Jurriaan is niet sterk, op den duur zal het hem slopen. Het is geen onbekend fenomeen dat mensen als Jurriaan verzwelgen in het schuldbesef en geen andere uitweg meer zien.’
Paula keek haar bezoekster geschrokken aan. ‘Je bedoelt...’
‘God Paula, sorry. Wat doe ik nou. Je vond het zo gezellig dat ik er was en nou zit ik je een beetje op te zadelen met m’n depressief geneuzel, vergeet het maar, het komt wel weer goed met Jurriaan.’
Maar Paula schudde haar hoofd. ‘Je moet hulp gaan zoeken

voor hem', zei ze dwingend.
Ellen glimlachte en keek naar buiten. 'Maak je geen zorgen, Paula', zei ze kalm, bijna alsof ze in zichzelf praatte. 'Ik zal over hem blijven waken, zoals ik altijd al heb gedaan.'
Er gleed een vastberaden blik over haar gezicht, waarna ze haar ogen weer tot Paula wendde. 'Was je blij met m'n bloemen?'
Paula staarde haar onthutst aan. 'Waren die….'
'Van mij, ja. Heeft de verpleegkundige dat niet doorgegeven?'
'Van een vriendin, had ze gezegd.'
'Dan heeft ze toch niets teveel gezegd?'
Paula lachte verlegen en schudde haar hoofd. 'Bedankt', zei ze zacht.

14

Benders was tot zes uur op het bureau gebleven. Veldhoven liet om twee uur weten naar het bureau te komen, maar was niet komen opdagen. Om vijf uur had Benders geprobeerd hem telefonisch te bereiken. Maar Jurriaan had zowel op zijn mobiel als thuis geen gehoor gegeven. Even had hij nog overwogen het bureau te verlaten om naar het ziekenhuis te gaan, maar iets in hem had hem gedwongen te wachten. Pas om zes uur had hij het opgegeven. Veldhoven zou niet meer komen, dat wist hij nu zeker. Hij verliet het politiebureau en liep naar z'n auto. Het was droog geworden inmiddels. Als je de weersberichten mocht geloven, zou deze komende avond en nacht de wind naar het oosten draaien. Het weer zou een winters karakter krijgen. Er werd ook sneeuw verwacht.
Benders stapte in z'n auto en voelde z'n verstijfde spieren. Hij ademde zwaar, startte de motor en reed de parkeerplaats af. Zijn vermoeidheid zeurde door z'n lichaam. Ik heb nauwelijks conditie, bedacht hij neerslachtig. Ik kan dit niet langer over m'n kant laten gaan en hij dacht terug aan z'n eerder genomen besluit om fietsend naar z'n werk te gaan, maar besefte dat zijn later genomen besluit daar in het voorjaar mee te starten verstandiger zou zijn. Hij slaakte een zucht. In de verte zag hij, dat er op de kruising waarop Paula de fout was ingegaan, weer een ongeluk was gebeurd. Blauwe zwaailichten van zowel politie als ambulance flitsten onheilspellend de helder geworden avond in. Toen hij voor de kruising tot stilstand kwam, zag hij nog juist hoe een volledig afgedekt lichaam de ambulance werd ingeschoven. Benders begreep wat dit betekende. Er trok een rilling door hem heen. Hij kreeg het sein de kruising over te steken. In de berm zag hij een zwaar gehavende motor liggen. Omstanders hadden zich ontfermd over een nog jonge vrouw die aangeslagen naar de hemel

staarde. Nadat hij de kruising had verlaten en zijn weg vervolgde, voelde hij hoe zijn ogen zich vulden. Hij liet zich gaan. Na enkele minuten voelde hij zich sterker. Met het gevoel de wereld weer aan te kunnen reed hij de oprijlaan van z'n woning op. In een flits zag hij door het raam hoe het blonde hoofd van Femke zich tegen de borst van een hem onbekende man aandrukte. Gegeneerd wendde hij z'n blik af.
Dat is dus de historicus, besefte hij. Sinds Eline over hem had verteld, had hij er geen seconde meer aan gedacht. Met iets van wrevel opende hij de voordeur. Eline was hem tegemoetgekomen en keek hem veelbetekenend aan. 'Jacob is er', zei ze fluisterend. 'Hij blijft eten.'
'Jacob?'
'Femkes vriend.'
'Waarom...'
'Probeer je te gedragen Frank, het is een aardige man.'
Benders bromde en liep achter Eline de kamer in. Naast Femke zat een man, die hij beslist jonger schatte dan eenendertig. In z'n linkeroor droeg hij een zilverkleurig ringetje. Het rozige haar was ultrakort geknipt. Hij stond op, keek Benders met onzekere ogen aan en stak z'n hand uit. 'Dag meneer Benders, ik ben Jacob. Jacob van Loon.'
Benders gaf hem een hand en knikte. Er volgde een pijnlijke stilte.
'Ik heb Jacob uitgenodigd om mee te eten, pap', doorbrak Femke het zwijgen. 'Hij had tot vanmiddag laat een bespreking in het stadskantoor en vanavond om half acht is er een lezing voor Oud-Hoorn.'
Benders keek z'n dochter vragend aan.
'In verband met de bouwplannen achter het Julianapark', verduidelijkte Jacob.
'Welke bouwplannen?'
'Er zijn vergevorderde plannen om daar medio maart te starten met de bouw van een nieuwe bioscoop.'

'En wat is daar mis mee?', vroeg Benders.
Jacob lachte verlegen en was weer gaan zitten. 'Niets', antwoordde hij. 'Maar wij willen voor de definitieve bouw de gelegenheid krijgen daar een uitgebreid bodemonderzoek te doen. Het stuk grond, waarop de bioscoop gebouwd gaat worden, is van historische betekenis. Wij verwachten daar belangrijke vondsten te kunnen doen.'
'Zoals?'
'Overblijfselen vanuit het tijdperk van de Verenigde Oost-Indische Compagnie. Wij zijn ervan overtuigd dat op die locatie meerdere pakhuizen van de V.O.C. hebben gestaan.'
Benders ging zitten. Hij keek de historicus onderzoekend aan. De bevlogenheid, waarmee Jacob hem duidelijk maakte waar het hem om te doen was, beviel hem wel.
'En is de gemeente daar ontvankelijk voor?'
'Nauwelijks', antwoordde hij verbolgen. 'De aannemer ligt ook dwars. Hij heeft de gemeente gewezen op de gemaakte afspraken en wil ze nu financieel aansprakelijk stellen voor de eventuele gevolgen van deze vertraging.'
'Tragisch.'
'Tragisch dat zo'n cultuurbarbaar onze historie wil verduisteren ja.'
'Jacob overweegt gerechtelijke stappen', zei Femke. 'Hij wil Mulder persoonlijk aansprakelijk stellen voor het boycotten van de mogelijkheid tot het opgraven van historisch erfgoed.'
Benders' wenkbrauwen schoten omhoog. 'Is Mulder de aannemer?'
Jacob knikte. 'Paul Mulder, ja. Kent u hem?'
Benders dacht snel na. Hij besloot Van Loon nog niet in te wijden. 'Kennen is een groot woord, maar als plaatselijke aannemer is hij wel bekend ja', zei hij.

*

Benders had zich moeten haasten om nog voor het beëindigen van het bezoekuur bij Paula te zijn. Toen hij haar kamer binnenstapte, schrok hij van de aanblik. Zijn assistente zo hulpeloos op het witte bed te zien liggen, deed hem pijn. Hij vermande zich en probeerde zijn strakke lippen tot een glimlach te dwingen. Blijkbaar was Paula te druk in gesprek met Marit geweest om zijn binnenkomst op te merken. Pas toen hij voor haar bed stond, zag ze hem staan. 'Hoi Frank!', riep ze enthousiast.
Benders was om het bed naar haar toegelopen en gaf haar een zoen. 'Dag, Paula. Hoe gaat het?'
Paula keek hem glimlachend aan. 'Eigenlijk best goed. Mis je me al?'
'Tuurlijk. Het valt tegen als ik zelf m'n koffie moet zetten.'
'Draak! Pak een stoel, ga zitten en vertel me hoe het ervoor staat.'
Marit stond op. 'Ga hier maar zitten, Frank, dan kunnen jullie in alle rust bijkletsen.' Ze boog zich over Paula heen, pakte met beide handen haar hoofd en gaf haar een zoen. 'Denk je goed om je zelf, Paultje?'
Paula knikte, gaf een aai over het blonde hoofd van Marit en nam afscheid.
'Nog nieuws?', vroeg Paula, zodra Marit de kamer had verlaten.
Benders schudde z'n hoofd. 'Er zijn geen ontwikkelingen te melden, die nieuw licht op de zaak werpen. Ik heb Teulings opdracht gegeven de eigenaar van de Schotse collie op te sporen.
Paula keek hem verbaasd aan.
'God ja dat heb ik jou nooit verteld.' Hij vertelde in het kort over de reden van deze opdracht en voegde daaraan toe, dat het idee van deze actie bij Joris vandaan was gekomen.

Paula glimlachte. ‘Dezelfde Joris die twee jaar geleden het politievak nog verachtte?’
Hij knikte lachend. ‘Dezelfde ja. Het kan verkeren.’
Er volgde een stilte. Benders zocht naar woorden om hun gesprek over een ander onderwerp dan de zaak Eline Mulder voort te zetten.
Paula was het die de stilte doorbrak. ‘Je verveelt me niet als je de zaak Mulder met me doorpraat, hoor. Houd dus alsjeblieft niets voor me achter Frank, ik verveel me hier toch te pletter, dan kan ik net zo goed een beetje meedenken.’
Benders bleef peinzend voor zich uit staren en schudde z’n hoofd. ‘Er valt niets meer te melden.
‘Volgens mij wel.’
Er verscheen een groot vraagteken in Benders’ ogen. ‘Wat valt er volgens jou dan nog te melden?’
‘Dat hoor ik graag van jou. Er zit je iets dwars, dat zag ik al bij je binnenkomst.’
‘Je zag me niet eens binnenkomen’, protesteerde hij. ‘Daarvoor was je te druk met Marit.’
Paula lachte. ‘Mis, Frank. Toen jij je verlegen ogen een ogenblik neersloeg, had ik genoeg gezien om deze conclusie te trekken. Dus kom op, voor de dag ermee.’
Hij keek haar verbluft aan en probeerde te lachen. ‘Je opmerkingsgave is dus niet aangetast’, zei hij.
Paula bleef hem vragend aankijken.
‘Oké, jij wint. Veldhoven belde me vanmiddag op, hij wilde me spreken.’
‘Jurriaan? Waarover wilde hij je spreken dan?’
‘Weet ik niet. Hij belde me om twee uur op en beloofde me naar het bureau te komen.’
‘Maar is dus niet gekomen.’
‘Nee, ik heb tot zes uur gewacht, tevergeefs.’
‘Vreemd. Hoe klonk hij?’
‘Nerveus. Bloednerveus eigenlijk.’

Paula keek strak voor zich uit. 'Mijn God, als hij zichzelf maar niets heeft aangedaan.'
'Waarom ben je daar bang voor?'
Ze keek Benders bezorgd aan. 'Het is geen onbekend fenomeen, dat mensen als Jurriaan verzwelgen in hun schuldbesef en geen andere uitweg meer zien.'
'Waar heb jij het nou over?'
'Ik citeer Ellen.'
'Ellen? Wat heeft...?'
'Ze is hier vanmiddag geweest', onderbrak Paula. In het kort vertelde ze hem over het bezoek en over de wijze, waarop ze haar zorgen over haar man had geuit.
'Begrijp je nu waarom ik bang ben, dat hij zichzelf iets heeft aangedaan?'
'Nee', zei hij hard. 'Daar begrijp ik geen moer van. En waar ik nog minder van begrijp zijn de bezoeken van haar aan jouw bed, het lijkt verdomme je moeder wel.'
'Stel je niet zo aan, Frank Benders. Ellen is met mijn lot begaan. Het is gewoon een mens met een sterk sociaal karakter.'
'Of gewoon een enorme bemoeial.'
Paula schudde fel met haar hoofd. 'Onzin! Jij beroept je op een vooroordeel. Mensen als Ellen zijn jou te warm, ze komen te dicht bij je, en jij bent dan bang dat je je brandt.'
'Misschien moet je daarvoor iets ouder in jaren zijn om dat te begrijpen, ja', zei Benders kalm.
'Ik wil dat helemaal niet begrijpen. Ellen is een schat. Ze omringt haar geadopteerde zoon met een warmte of het haar eigen kind is.'
'Dat is te prijzen ja, maar dat verheft haar niet boven iedere discussie.'
'Wat wil je daarmee zeggen?'
'Dat ze nog steeds meedoet in de race naar het daderschap.'
Met een van pijn vertrokken gezicht probeerde Paula zich iets op te richten. 'Daar geloof ik niets van, Ellen als moordena-

res is uitgesloten, daarbij, ze heeft een onaantastbaar alibi.'
Benders wilde zeggen dat er nog niets was uitgesloten, maar een stem achter hem belette dit.
'Wilt u zo vriendelijk zijn afscheid te nemen, het bezoekuur is al twintig minuten verstreken.'
Benders keek verschrikt achterom. Een vrouw van middelbare leeftijd keek hem bestraffend aan. 'Sorry Paula, ik moet gaan. Morgen praten we verder.' Toen pas viel zijn blik op de herfstasters in de vensterbank.
'Van Ellen', zei Paula lachend. 'Lief, hè.'

*

Pas toen hij de deur van het ziekenhuis achter zich had dichtgeslagen, besefte hij dat hij Paula te hard gevallen was. Het was zijn irritatie geweest. Paula had gelijk, het was een vooroordeel. Op de een of andere manier werd hij argwanend bij types als Ellen. Haar spontaniteit verwarde hem. Meer dan eens was hem dit overkomen. Soms terecht, maar vaak ook volkomen onterecht. Hij begreep heel goed dat dit te maken had met zijn persoonlijkheid. Hij stond bekend als een nuchter mens. Maar Benders wist dat dit slechts ten dele waar was. Nuchterheid werd vaak verward met het niet uiting kunnen geven aan gevoelens. In de volksmond heette dat nuchter. Maar in zijn geval stond het voor verlegenheid. Ellen was psychologe. Haar inzicht in de menselijke geest kon ervoor zorgen dat ze hem snel doorhad. Was hij daar bang voor? Was het haar sterke persoonlijkheid dat hem argwanend maakte. Of was 'bang maakte' beter geformuleerd. Maar bang waarvoor? Wat had hij verdomme te maken met Ellen Veldhoven?
Nadat hij in zijn auto was gestapt, nam zijn gedachtegang een wending. Het kon ook heel goed zijn, dat Ellen argwanend tegenover hem stond. Hij dacht terug aan hun laatste confrontatie. Ze had hem bij die gelegenheid aangesproken op de voort-

gang van het onderzoek. Alsof hij een klein kind was, had ze hem te kennen gegeven dat hij moest begrijpen dat het voor Jurriaan van wezenlijk belang zou zijn wanneer de dader gepakt werd. Hij probeerde zich haar uitdrukking daarbij te herinneren, maar slaagde daar niet in. Wel herinnerde hij zich haar blik toen hij haar had tegengesproken in verband met het mentale herstel van Paula. Hij had toen, in tegenstelling tot Ellen, beweerd ervan overtuigd te zijn dat Paula sterk genoeg was om deze klap te boven te komen, omdat ze wel voor hetere vuren had gestaan. Ellen had hem bij die gelegenheid woedend aangekeken. Benders staarde peinzend de donkere avond in. 'Mevrouw kan er dus niet tegen wanneer ze werd tegengesproken', mompelde hij. Hij vroeg zich af wat dit kon betekenen.

*

Toen Benders de volgende morgen op het bureau verscheen, overvielen hem meerdere dingen tegelijkertijd. Allereerst was er de kerstboom in de ontvangsthal, die hem eraan herinnerde dat de kerst er aankwam. Daarna zag hij commissaris Haarsma heftig gebarend om aandacht vragen, gevolgd door Ben Teulings die hem wijzend op een aantal A4-'tjes duidelijk maakte dat hij zijn onderzoek had afgerond. Even stond hij in tweestrijd. De dwingende blik van Haarsma won het.

'Ga zitten, Frank. Wil je koffie?'
Benders ging zitten en schudde z'n hoofd. Hij kende de slappe koffie van Haarsma.
Tot ergernis van Benders begon Haarsma eerst over koetjes en kalfjes. Nee, de hoop dat hij maatjes kon worden met de ex-marineofficier, was er allang niet meer. Zijn doorzichtige maniertjes, die bij hem steevast het beoogde effect misten,

vond hij ronduit irritant. Haarsma acteerde, maar zo belabberd dat het Benders zijn tenen deed krommen. Hij keek Haarsma dan ook veelbetekenend aan toen hij informeerde of Benders met zijn gezinnetje nog plannen had voor de komende kerstdagen.
'Geen enkele', antwoordde hij kort.
Haarsma wachtte tevergeefs op een vervolg, streek wat door zijn dunne haar en kuchte. 'Goed, allereerst dit: er is vanmorgen een verontrustend telefoontje gekomen van mevrouw Veldhoven. Haar man is gisteren niet thuisgekomen. Ze maakte zich ernstig zorgen en sprak openlijk over haar angst dat hij zichzelf iets zou kunnen aandoen of dit wellicht al heeft gedaan.'
Benders' mond zakte open. Hij staarde Haarsma aan alsof hij verwachtte dat de commissaris erop zou laten volgen, dat dit slechts een grapje was. Maar dat deed hij niet. Integendeel. Hij keek Benders dodernstig aan. 'Ik zou dus willen, dat jij even bij deze dame langsgaat om hier notitie van te nemen. Niet dat ik me direct zorgen maak, maar ik wil voorkomen dat we ons straks verwijten gaan maken deze zaak te licht te hebben beoordeeld.'
Benders knikte stom. 'Dat was het?'
'Verder heeft Tilders nog gebeld', zei hij mat. 'Hij wilde jou spreken.'
'Wat had hij?'
Haarsma kuchte weer. 'Dat wilde de officier tegenover mij niet kwijt.'
Benders hoorde zijn teleurstelling en genoot inwendig.
'Heb jij enig idee?'
'Geen enkel.'
Er verscheen een nijdige trek om het muizensmoeltje van de commissaris en Benders begreep waar de schoen wrong.
'Dat was het?'
'Ja.'
Benders stond op. 'Dan ga ik maar.'

'Ja.'
Hij verliet grijnzend het kantoor van Haarsma. Dat Tilders de commissaris negeerde had alles te maken met het kunstje dat Haarsma hem in een vorige zaak had geflikt. Blijkbaar was de officier dat nog niet vergeten.

Toen Benders zijn kantoor weer instapte, zag hij hoe Teulings verschrikt opstond uit Paula's stoel, hij keek erbij alsof hij zich betrapt voelde. 'Blijf zitten, Ben', zei Benders lachend. 'Wil je koffie?'
Teulings knikte. 'Lekker ja.'
'Dat kan ik niet garanderen, de hand van de meester is er niet.'
'Hoe is het met Paula?'
'Goed, ze komt er wel weer bovenop.' Benders gooide water in het apparaat en bedacht intussen dat Haarsma nog niet één keer naar Paula had geïnformeerd. 'Ze is sterk', vervolgde hij. 'Ik verwacht dat ze binnen twee maanden weer op die stoel zit.'
'Dan is het wel te hopen, dat we haar kunnen vertellen wie de moordenaar van Evelien is geweest.'
Benders knikte. Er verscheen een zorgelijke trek op z'n gezicht. Het schoot hem weer te binnen, dat Jurriaan werd vermist. Of vermist was misschien een groot woord, stelde hij zichzelf gerust. Vannacht niet thuisgekomen. Hoe vaak had hij dat al meegemaakt. Maar de zorg bleef. Hij gooide koffie in het filter, plaatste de lege kan onder het apparaat, ging zitten en staarde naar Teulings. 'Is jouw missie voltooid, Ben?'
Teulings keek glimlachend van het koffiezetapparaat naar Benders en stond op. 'De mijne wel', zei hij, terwijl hij het apparaat inschakelde.
'Ik word een seniele oude man.'
'Ik heb vier adressen', negeerde Teulings. 'Een van deze adressen kan interessant zijn. De eigenaar van deze hond woont

schuin aan de overkant van het flatgebouw waar Evelien woonde.'
Benders keek bedenkelijk. 'Schuin aan de overkant?', vroeg hij verbaasd. 'Aan de overkant van het flatgebouw liggen niets dan weilanden.'
'Klopt, ja', zei Teulings. 'Maar aan de westkant, tegen de omringdijk aan, staat een boerderijtje. Daar woont ene Santing. William Santing. Een weduwnaar van tweeënzeventig. Hij woont daar alleen met z'n hond Roxy.'
'De Schotse collie?'
Teulings knikte. 'Klopt ja. Santing heeft z'n hele leven collies gehad. Deze hond heeft hij vier jaar, een reu, volgens de fokker een beest met kampioenskwaliteiten.'
Hij weet alles alweer, dacht Benders. De tomeloze ijver van de technisch rechercheur verbaasde hem nog steeds. Tweeënzestig, veertig jaar in het vak, en niet kapot te krijgen. Benders kende hem al jaren. Een kop met haar nog. Achterovergekamd. Een goed verzorgde ringbaard. Grijs nu, maar Benders had ook de zwarte periode nog gekend. Ben woonde alleen, nooit getrouwd, maar volgens zijn eigen zeggen daar nooit rouwig om geweest, “ik heb genoeg gezien” was steevast zijn reactie wanneer men daarover opmerkingen maakte. In details daarover trad hij nooit, maar Benders' oude chef Cees Bambergen had hem ooit verteld dat hij had gedoeld op het slechte huwelijk van z'n ouders. “Z'n moeder hield niet van die jongen”, had Cees gezegd. “Waar ze wel van hield, werd gedoogd door z'n vader. Voor de goeie vrede.” De wijze, waarop Bambergen dit zei, had boekdelen gesproken.
'Was jij al bij die William Santing geweest, Ben?'
Teulings schudde z'n hoofd. 'Ik heb deze informatie van de fokker. Roxy is al de vierde collie die Santing van hem heeft betrokken. Maar ik heb wel de situatie ter plekke bekeken.'
Benders keek hem vragend aan.
'Via de omringdijk kun je de flat niet bereiken', vervolgde

Teulings de vragende blik negerend. 'Tussen de weilanden en de flat loopt een brede, diepe sloot. Feitelijk kun je de flat alleen van de oostkant bereiken. In Santings geval betekent dat dus vier kilometer omlopen om bij de flat te komen.'
Benders knikte, maar wist nog niet goed waar Teulings eigenlijk heen wilde.
'Daarom ben ik daar poolshoogte gaan nemen. Als er geen andere mogelijkheid zou zijn om via een kortere route bij de flat te komen, zou dat de zaak een stuk minder interessant hebben gemaakt.'
Benders gaf het op. 'Ik begrijp eigenlijk niet goed wat je bedoelt, Ben.'
'Acht kilometer lopen met je hond in dat pokkenweer is niet aannemelijk.'
'Dat vind ik ook niet. Ik begrijp dus niet wat jij....'
'Loopplanken, Frank!', onderbrak Teulings bijna triomfantelijk. 'Er lagen drie loopplanken over de sloot. Vijfhonderd meter! Vanaf de boerderij naar de flat is dan nog maar vijfhonderd meter!'
Benders stond op, liep naar het koffiezetapparaat, pakte de kan en hield hem omhoog.
Teulings knikte. 'Weet je het nog?'
'Zwart, ja.'
'Niet gek Frank, voor 'n seniele oude man.'
Benders glimlachte. 'Maar waarom zou die Santing zo moeilijk doen om balancerend over een paar planken te lopen, terwijl hij ook met z'n hond over de dijk kan lopen?', vroeg hij, terwijl hij Teulings z'n koffie aanreikte.
'Er stond die week een harde wind en het regende', antwoordde Teulings. 'Dan loop je op zo'n dijk niet bepaald beschut en bovendien: 's avonds in het donker is het als wandelaar levensgevaarlijk op die dijk. Voordat je het weet, word je van je sokken gereden.'
Benders knikte. Hij dronk zwijgend z'n koffie. Hij dacht eraan

dat hij Tilders nog moest bellen en dat hijzelf nog naar Ellen wilde gaan. Op dit moment had hij geen mensen vrij om naar Santing te sturen. Bovendien, als bleek dat Veldhoven inderdaad spoorloos was verdwenen, zou dat de hoogste prioriteit krijgen.
'Wat denk je ervan, Frank?', onderbrak Teulings z'n gedachten.
Benders gooide z'n laatste slok koffie naar binnen en keek Teulings nadenkend aan. 'Ik weet dat het niet op jouw terrein ligt, Ben,' zei hij, 'maar zou jij vanmiddag zelf naar die Santing willen gaan? Om met die man te gaan praten, bedoel ik.'
'Mij goed.'
'Probeer er ook achter te komen wat die Santing zelf voor een man is. Ik bedoel, je weet het nooit.'
Teulings keek hem quasi beledigd aan. 'Wou jij een aap soms leren klimmen?'
Benders schudde lachend z'n hoofd.

*

Zodra Teulings de deur uit was, pakte Benders de telefoon en toetste het nummer in van Thomas Tilders. De officier nam onmiddellijk op, alsof hij had zitten wachten op dit telefoontje.
'Tilders!', bulderde het aan de andere kant.
'Thomas, met mij, met Frank. Er was me gevraagd jou te bellen.'
'Rijkelijk laat voor een verzoek van twee uur geleden.'
'Drukte', zei Benders verontschuldigend.
'Ik heb nieuws voor je betreffende de heer Paul Mulder.'
Benders spitste z'n oren.
'We hebben weer een aanklacht tegen hem in behandeling en het gaat ernaar uit zien dat hij dit keer voor de bijl gaat.'
'En de aanklacht luidt?'

‘Het niet naleven van geldende bouwvoorschriften. In de jaren negentig bouwde hij in opdracht van rijkswaterstaat het gemaal aan de Hoofdsingel. Een betonnen kolos dat nu op instorten staat.’
Benders dacht koortsachtig na. Ergens had hij hierover iets gelezen, maar hij kon zich niet meer herinneren waar en wanneer.
‘Het stond gisteren in de krant’, leek Tilders z’n geheugen op te willen frissen. ‘De krant schreef over “een bouwbedrijf” maar tussen jou gezegd en gezwegen betreft het hier de firma Mulder.’
‘Je zei: dit keer gaat hij voor de bijl. Wat wordt Mulder dan verweten?’
‘Uit vooronderzoek is vast komen te staan, dat de aannemer zich niet heeft gehouden aan de voorgeschreven kwaliteit van het staal dat is gebruikt voor de constructie. Mulder gebruikte een lichter soort staal, dat hem een besparing opleverde van veertienduizend euro. ’
‘Met als gevolg?’
‘Instortingsgevaar. Wanneer het gemaal niet binnen afzienbare tijd gerenoveerd wordt, ligt het binnenkort in de singel.’
‘Christus zielen.’
‘Zoiets zei ik ook, ja. Maar het interessantste voor jou komt nog.’
‘Ik luister.’
‘Die architect, die Jurriaan Veldhoven over wie jij het had, die was ten tijde van de bouw betrokken bij de uitvoering als opzichter van de opdrachtgever. Volgens de eerste getuigenverhoren is er sprake geweest van een handjeklapstrategie tussen bouwer en toezichthouder.’
Benders floot tussen z’n tanden. ‘Wanneer weten jullie hier meer over? Ik bedoel, wanneer komt het vast te staan dat hier sprake is van fraude?’
‘Volgende maand komt er een gesprek met de heer Veldhoven.

Hij wordt voor ons een belangrijke, zoniet de belangrijkste getuige.'
'Als hij komt.'
'Hoe bedoel je?'
Benders vertelde hem wat hij wist. Dit keer was het Tilders, die uiting gaf aan zijn verbazing.
'Godallemachtig! Dat kan haast geen toeval zijn.'
In gedachten beaamde Benders dit. 'Wat staat Mulder te wachten als mocht blijken dat hij schuldig is?'
'Z'n ondergang. Los van een eventuele inhechtenisneming zal de ondergang van zijn bedrijf hem het hardst treffen. Ik verwacht dus niet dat hij dit zonder slag of stoot zal laten gebeuren.'
Benders besefte wat dit kon betekenen. Hij dacht aan Veldhoven. Was deze man het slachtoffer geworden van Mulders manipulaties? Ellen had gezegd, dat hij gebukt ging onder een groeiend schuldbesef. Maar onder welk schuldbesef? Wat wist Evelien van de praktijken van haar broer? Wellicht had Jurriaan haar wijzer gemaakt. Wellicht had zij daarna haar broer hierover ter verantwoording geroepen, en….. Benders schudde z'n hoofd. 'Ik ga werk maken van de vermissing van Veldhoven, Thomas. Zodra er nieuws is, laat ik je het weten.'
Zonder Tilders antwoord af te wachten, legde hij de hoorn terug op de haak, staarde een ogenblik voor zich uit en toetste toen het nummer van Ellen in. Het was haar zoon Bas, die opnam.
'Dag, Bas. Mag ik je moeder even spreken?'
Het bleef stil.
'Ben je daar nog, Bas?'
'M'n moeder is er niet.'
'Ben je alleen thuis?'
'Ze is in de tuin.'
'Wil je haar dan even roepen? Zeg haar maar, dat meneer Benders aan de telefoon is.'

'Meneer Benders?'
'Ja.'
'Bent u van de politie?'
Benders glimlachte. 'Ja, ik ben van de politie, Bas.' Hij hoorde hoe de hoorn met een klap werd neergelegd. Even later hoorde hij hem "moeder" schreeuwen. Gevolgd door de mededeling dat ze moest komen, omdat de politie aan de telefoon was. Het had meer als een bevel dan als een verzoek geklonken. Even later hoorde hij de beheerste stem van Ellen.
'Met Ellen.'
'Dag mevrouw Veldhoven, met Benders spreekt u. Ik begreep dat u aangifte hebt gedaan van vermissing van uw echtgenoot. Klopt dat?'
'Ja, dat klopt.'
'U hebt nog niets van hem gehoord?'
'Nee, ik maak me zorgen. Jurriaan was de laatste tijd nogal depressief.'
'Schikt het u wanneer ik nu even bij u langs kom?'
'Kan dat over een uur?'
Benders keek op z'n horloge. 'Zullen we afspreken om half twee?'
'Ja, dat is prima, ik zal zorgen dat de koffie klaar staat.'
Benders legde de hoorn terug en verbaasde zich over de kalmte, waarmee Ellen hem te woord had gestaan. 'Ik zal zorgen dat de koffie klaarstaat', herhaalde hij mompelend. Alsof hij verdomme voor de gezelligheid op visite kwam. Hij probeerde zich voor te stellen hoe Eline gereageerd zou hebben. Er zou geen koffie klaarstaan, dat wist hij zeker.

*

Het uurtje dat Ellen hem had gegeven, gebruikte Benders om naar de wasstraat op het bedrijventerrein te rijden. De rust om in zijn kantoor te blijven zitten was er toch niet.

Onderweg dacht hij aan het telefoontje van Tilders. Die sloper zou dus toch gelijk krijgen. Mulder manipuleerde. Als het waar was dat Jurriaan was omgekocht door deze aannemer, dan had hij een groot probleem. Was zijn plotselinge vlucht ook heel goed uit te leggen. Maar was het dat? Was het een vlucht? In het gunstigste geval kwam hij binnen een week weer boven water, biechtte de hele zaak op en nagelde door zijn getuigenis Mulder aan het kruis. Benders schudde z'n hoofd. Hij dacht niet dat deze optie realistisch was. Het was heel goed denkbaar dat Veldhoven nooit meer boven water kwam. Daarmee moest hij stevig rekening houden. Hij huiverde. Deze zaak dreigde behoorlijk uit de hand te lopen. Vier weken terug was hij er nog van overtuigd geweest, dat de oplossing eenvoudig en voor de hand lag. Een vluchtende minnaar, nota bene gezien door een getuige. Met een beetje lef zou het genoeg zijn geweest om tot vervolging over te gaan. Sterker nog, een matige verdediging en een gewiekste aanklager zouden hem achter de tralies hebben gekregen. Maar Veldhoven was niet de moordenaar. Daarvan was hij nog steeds overtuigd. Intuïtie. Na twintig jaar ervaring mocht hij daar op vertrouwen.
Hij stond stil voor het stoplicht en gaf richting aan voor rechts. Hij dacht aan Ellen. Aan haar kalme stem, waarin niets van paniek had doorgeklonken. Had deze vrouw zich werkelijk zo goed in de hand of was het slechts een pose? Toch zei ze zich zorgen te maken. Eerder al, toen in het ziekenhuis, had ze aangegeven dat het niet goed ging met haar man. Dat ze vond dat Benders haast moest maken met het vinden van de dader, dat Jurriaan gebukt ging onder zijn schuldgevoelens, zo zei ze dat ja, gebukt ging onder zijn schuldgevoelens. Benders probeerde zich te herinneren hoe ze had geklonken. Bezorgd, bezorgder dan zo-even. Hij knikte. Zo was het, ja. Toen had hij iets van paniek gehoord, en gezien ook. Een zwaar claxongeluid onderbrak z'n gedachten. Benders draaide het bedrijventerrein op en moest even nadenken of de wasstraat zich in de eerste of de tweede straat rechts

bevond. Zijn twijfelachtige rijden deed de vrachtwagenchauffeur andermaal claxonneren. Hij reed geïrriteerd door en nam de tweede rechts. Hij had geluk. Hij was de enige bij de wasstraat. Terwijl de machtige borstels zijn oude Scorpio mangelden, vervolgde hij zijn gedachten. Plotseling wist hij het. 'Berusting!!' Zijn kreet overstemde het geluid van de watermassa, die tegen z'n Scorpio kletterde. 'Dat was het verschil', mompelde hij verder. 'Er had nu berusting in haar stem geklonken. Alsof ze zich met het onvermijdelijke had verzoend.'
Toen hij de wasstraat uitreed, besefte hij dat dit een welhaast onmogelijke gedachte was. Dat het onzin was om te denken, dat iemand na amper één dag vermissing in het onvermijdelijke berustte. Toch was dat zijn gevoel.

Ellen deed open met de haar bekende glimlach. Nat haar plakte tegen haar slapen. 'Komt u verder, meneer Benders', zei ze gehaast. 'Dan kan ik de deur sluiten.'
Benders stapte de hal in en hoorde onmiddellijk daarop de deur met kracht in het slot vallen.
'Ik kan die kou nu niet hebben', haastte ze zich te verklaren. 'Ik stap net onder de warme douche vandaan en ik ben al wat verkouden.' Benders knikte en volgde haar naar de woonkamer. Hier was de naderende kerst in al zijn glorie zichtbaar. Een versierde kerstboom stond als centraal middelpunt van het feest van het licht te flonkeren in de ronde erker. Daarnaast, op een mahoniehouten tafel, geknield bij een krib, stond een Mariabeeld. In de krib lag de verlosser. De rest ontbrak.
'Geen ruimte', verklaarde Ellen alsof de verbaasde blik van Benders haar was opgevallen. Het klonk als een excuus.
Benders knikte.
'Gaat u zitten. Wilt u koffie?'
'Graag.' Hij ging zitten tegenover de erker waarvandaan hij tegen het talud van de dijk aankeek. De vorige keer toen hij hier was, had hij de korte golfslag van het IJsselmeer tegen

de dijk horen opklotsen. Nu hoorde hij niets door de veranderde windrichting. Hij ging weer staan en liep naar de erker. Hoe het kwam, wist hij niet. Wellicht was het de serene stilte in dit dijkhuis, dat hem onrustig maakte. In de verte zag hij het puntje van een mast heen en weer deinen. Juist toen hij zich afvroeg wat mensen bezielde om met dit koude weer met de boot erop uit te trekken, kwam een jongeman met hoge snelheid het pad op rijden. Het was Bas, zag hij. Het dikke grindtapijt leek voor hem geen belemmering waarvoor hij vaart moest minderen. Benders volgde door het zijraam van de erker Bas' drukke bewegingen en schudde met zijn hoofd toen hij zag hoe met kracht de fiets tegen de garagedeur werd gesmeten. In gedachten hoorde hij zichzelf de jongen vermanend toespreken, zoals hij dat vroeger ook bij Joris had gedaan.
'Oh, daar is Bas al.' Ellen zette de koffie op tafel en haastte zich naar de voordeur. Voordat Benders terugliep om weer te gaan zitten, kon hij nog juist zien hoe ze zonder jas naar buiten was gelopen om de garagedeur voor haar zoon te openen. Hij dacht onmiddellijk aan haar verkoudheid. Even later kwamen ze beiden binnen. 'Meneer Benders is er, Bas. Hij gaat ons helpen om papa te vinden.'
Benders stond op en gaf de jongen een hand. 'Fiets jij altijd zo hard, Bas?', vroeg hij glimlachend.
De jongen keek hem aan alsof hij zojuist was betrapt op een snelheidsovertreding. Daarna keek hij naar z'n moeder. 'Meneer Benders bedoelt het goed, Bas. Hij vindt het juist knap dat jij zo hard op de fiets kunt rijden. Zal ik thee voor je maken?'
De jongen knikte. 'We hadden het tweede uur vrij. Jellema is ziek.'
'Dus je moet straks nog voor een uurtje naar school?'
'Nederlands, daar heb ik geen zin in.'
'Toch wil ik dat je gaat, Bas.'
Bas keek met een schuin oog naar Benders, alsof hij rekende op zijn bijval. 'Ik wil het niet', dramde hij.

‘Je stond een vier voor Nederlands. Je kunt dat uur niet missen.’
‘Van papa had ik ook niet gehoeven.’
Ellen schudde haar hoofd. ‘Hier heb je je thee. Ga maar even naar je kamer, straks praten we er verder over. Mama wil nu eerst even met meneer Benders praten.’
‘Ik ga toch niet!
‘Straks, Bas.’
‘Ik wil met Bob mee.’
‘Bob brengt zelf z’n kranten maar rond.’
‘Hij vindt het fijn als ik hem help.’
‘Eerst je school, Bas.’
‘Nee!’ Hij liep met z’n theeglas naar de keuken, gooide de helft eruit en vulde bij met koud water. Met een strakke blik verliet hij de keuken en liep naar boven. Benders was ervan overtuigd, dat Ellen deze strijd ging verliezen.
‘Hebt u ook kinderen?
Benders knikte. ‘Een zoon en een dochter.’
‘Spijbelden zij ook wel eens?’
‘Spijbelen is van alle tijden.’
Ze glimlachte. ‘Goed, Jurriaan’, zei ze. ‘Daar kwam u tenslotte voor.’ Ze ging tegenover Benders zitten en keek hem vragend aan. ‘Ik zou het werkelijk niet weten.’
‘Wat zou u niet weten?’
‘Waar hij kan zijn. Wat hem heeft bewogen te vertrekken zonder een berichtje achter te laten.’
Benders keek haar een poosje zwijgend aan. ‘Uw man heeft het een en ander meegemaakt’, begon hij. ‘U vertelde me kortgeleden nog dat hij gebukt ging onder schuldgevoelens. Dat hij zich verantwoordelijk voelde voor de dood van Evelien. Kan het niet zijn, dat…..’
‘Ja, dat kan heel goed’, onderbrak ze kalm. ‘Jurriaan was geen sterke man, het is goed denkbaar dat hij is gevlucht voor zijn problemen.’

‘Was?’
Ellen keek hem geschrokken aan. ‘Zei ik dat?’
Benders knikte. ‘U zei, Jurriaan was geen sterke man.’
Ze keek stil voor zich uit. De levendige ogen, waarvan Benders zich kon voorstellen, dat Jurriaan daar ooit voor was gevallen, keken verstard. ‘Soms houd ik rekening met het ergste, ja’, zei ze zacht. ‘Ik acht hem daartoe in staat.’
‘Heeft hij zich ooit eerder uitgelaten over zijn suïcidale neigingen.’
‘Nee, maar niet alles wordt met woorden gezegd. Ik kende hem.’
‘Zijn er plaatsen, familie, vrienden of kennissen waar hij naartoe zou kunnen zijn gegaan, ik bedoel waar hij tijdelijk zijn toevlucht zou kunnen hebben gezocht?’
‘Jurriaan?’ Het klonk bijna minachtend. ‘Jurriaan had maar één plaats. Dat was hier, bij mij. Ik was zijn thuis. Begrijpt u dat?’
Benders keek naar buiten en knikte. Laag over de dijk zweefde een reiger, om even later in vlucht het meer in te duiken. Een seconde later kwam hij terug. Hij had beet. Met stoïcijnse blik bleef het nog jonge beest in de rondte kijken, alsof hij niet besefte wat hij zojuist had aangericht. Benders zag hoe de lange hals zich verwijdde om de prooi toe te laten.
Hij keek weer naar Ellen. ‘Ik denk wel dat ik dat begrijp ja’, zei hij eindelijk.

Op de terugweg had hij z’n auto aan de kant van de dijk geparkeerd. Om na te denken. Het gevoel, dat hem vanaf het eerste bezoek aan Ellen had overvallen, was gebleven. Of eigenlijk was het nog sterker geworden. Maar het was onbenoembaar. Wantrouwen? Daar was geen directe aanleiding voor geweest. Ellen was een open vrouw, of althans, hij had geen reden om daaraan te twijfelen. Onverbloemd had ze haar relatie met Jurriaan op tafel gelegd. “Mijn man had het karakter

van een mus. En dat was goed, want een adelaar zou aan mij niet zijn besteed." Toen hij haar had gevraagd wat ze daarmee bedoelde, had ze er glimlachend aan toegevoegd: "Houdt u het er maar op dat ik mijn mus koester, meneer Benders." Op dat moment had hij een koude rilling over zijn rug voelen glijden. Ellen bleef voor hem een raadsel. Toen ze hun gesprek had onderbroken om naar haar zoon te gaan, had hij verbaasd opgekeken dat Bas een ogenblik later voorbij de erker fietste. Ook daarin had hij zich dus in haar vergist. Ze waren overeengekomen, dat er nog vierentwintig uur afgewacht zou worden. Daarna zou er een persbericht worden verstuurd met foto en een signalement. Ellen had erop gestaan dat in de begeleidende tekst de suïcidale neigingen van haar man zouden worden vermeld. Toen hij haar erop attent maakte dat de pers wellicht een link zou gaan leggen naar de recente moord op Evelien, had ze laconiek gereageerd. "Ze leggen maar, meneer Benders. Wij weten wel beter."
Maar wij weten nog niets beter, overdacht hij. Wij weten nog net zoveel als vier weken geleden. Met een nijdig gebaar gaf hij een roffel op het stuur. Het plotselinge geluid van de claxon deed een aasetende meeuw verschrikt opvliegen. Het was half vier en het begon al te schemeren. Benders werd overvallen door een enorm gevoel van leegte. Voor de zoveelste keer vroeg hij zich af waarom hij in godsnaam politieman was geworden.

15

Paula had al meerdere keren van de klok naar de deur gekeken. Juist toen ze de hoop op wilde geven, zwaaide hij open. Marit had bloemen mee. Gele tulpen. Een vertrouwde geur vulde de ruimte. Paula keek er lachend naar, maar verstrakte zodra Marits' gezicht zich over haar heen boog. Ze had gehuild. Met een zacht gebaar trok ze het gezicht naar zich toe en kuste haar voorhoofd. 'Wat is er gebeurd?', vroeg ze fluisterend.
Marit schudde zwijgend haar hoofd. Ze liep naar een tafel, trok de oude tulpen uit de vaas, gooide ze in een prullenbak en ververste het water. Slordiger dan Paula van haar kende, schikte ze de verse tulpen terug, pakte een stoel en ging aan het bed zitten. 'Het gaat niet door', zei ze hard.
Paula keek haar vragend aan. 'Wat gaat niet door?'
'De adoptie.'
Paula zag de woede. 'Bedoel je te zeggen dat wij geen kind kunnen adopteren?'
'Dat bedoel ik niet te zeggen, dat zeg ik. En weet je waarom, verdomme? Omdat wij potten zijn. Of zoals men in keurige bewoordingen stelt: wij voldoen niet aan een gangbare gezinssituatie.'
'Dit meen je niet, Mar!'
'En of ik dit meen!'
Paula slikte een paar keer en staarde naar het plafond, alsof ze de hemel wilde verzoeken anders te beschikken. 'Geen gangbare gezinssituatie?', bitste ze. 'Wat is dat voor kutargument! Wat is verdomme gangbaar? Wie maakt dat uit? Ik ken genoeg gangbare gezinssituaties waar ik nog geen hond zou willen plaatsen.' Ze dacht terug aan haar eigen jeugd. De gastgezinnen waar ze vanuit het gezinsvervangend tehuis enkele weken per jaar mocht logeren. "Het zijn leuke mensen Paula, je zult zien dat je het er reuze naar je zin hebt." Leuk ja. Ze was

negen. Samen douchen met oom Bert. “Zeep maar goed in, meisje.” Ze had lange tijd niet begrepen waarom tante Sjaan dat niet mocht weten.
Ze keek naar Marit. ‘En pikken wij dit zo maar? Laten wij dit zo maar over onze kant gaan?’
‘Wat wil jij er dan tegen doen?’
‘Alles. Alles wat in ons vermogen ligt’, zei ze strijdlustig.
Marit schudde haar hoofd. ‘Vergeet het maar. Ik heb onmiddellijk na het lezen van de afwijzing alle denkbare instanties gebeld. Het is één grote bureaucratie. Je loopt tegen een muur van beton, een niet te nemen vesting. Of je moet een kruiwagen hebben. Een invloedrijk persoon, die in staat is deze vesting te omzeilen.’
Paula dacht na. ‘Heb je het C.O.C. al gebeld?’
‘Ja. Ze waren daar verbaasd dat wij dit nog niet wisten. Homo- en lesboparen komen niet in aanmerking voor adoptie, althans niet voor kinderen uit het buitenland. Het C.O.C. strijdt daar al jaren tegen.’
Het kostte Paula moeite haar teleurstelling weg te slikken. ‘Laat maar even rusten, Mar’, zei ze zo kalm mogelijk. ‘We moeten ons eerst maar bezinnen. Er komt wel een oplossing.’
Marit knikte. ‘Eigenlijk wilde ik het je nog niet vertellen’, zei ze. ‘Ik wilde hiermee wachten tot je weer thuis was, maar....’
‘Was je daarom zo laat?’
‘Ja, ik heb een half uur in de auto zitten janken.’
Paula pakte haar hand. ‘Ik zag onmiddellijk dat er iets mis was’, zei ze zacht. ‘Zoals je de tulpen schikte, niets voor jou.’
‘Ik had er ook niet op gerekend, het was een enorme teleurstelling. Vanaf het moment dat we definitief het besluit hadden genomen om te adopteren is het geen moment meer uit m’n gedachten geweest, ik was er dag en nacht mee bezig.’
Paula keek haar aan. Ze moest zichzelf toegeven, dat ze deze ervaring niet deelde. Natuurlijk, zij wilde het ook graag, maar dag en nacht, nee, dat was niet waar. Maar Marit was anders.

Een moederdier? Ze zou het geweldig doen, dat wist ze zeker.
'Heb je nog in je atelier gewerkt vandaag?', vroeg ze om af te leiden.
'Nauwelijks', zei Marit mat. 'M'n hoofd is te vol, er komt niets meer uit m'n handen.'
'Toch moet je het proberen. Je moet je ontspannen, zo ga je er nog aan onderdoor.'
'Ik wil 'n kind, Paula!', schreeuwde ze bijna. 'Begrijp je dat dan niet?'
Paula zweeg geschrokken. Ze knikte traag. Nu pas besefte ze hoe diep het zat.

16

Toen Benders terug op het bureau was, hing er op het beeldscherm van zijn computer een memo met een berichtje van Teulings. Heb belangrijk nieuws voor je, Ben. Hij keek op z'n horloge. Tien voor vier. Hij toetste het nummer in van Teulings en vroeg hem onmiddellijk naar zijn kantoor te komen.
Eén minuut later zat hij tegenover hem. Hij stak meteen van wal. 'De dader is langs het erf van Santing gelopen. Er kleefde bloed aan de vacht van Roxy.'
Benders' mond viel open. Voor zichzelf herhaalde hij de laatste zin. Er kleefde bloed aan de vacht van Roxy. Daarna keek hij Teulings ongelovig aan. 'Er kleefde bloed aan de vacht van Roxy?'
'Ja. Dat zei Santing. Bij de dagelijkse borstelbeurt ontdekte hij sporen van bloed in zijn vacht. Hij onderzocht het beest onmiddellijk op eventuele verwondingen, maar heeft niets kunnen ontdekken. De man is ervan uitgegaan dat dit tijdens een stoeipartij met een andere hond was gebeurd.'
'Verdomme!', brieste Benders. 'Leest die vent geen kranten dan?'
'Dat deed hij wel.'
'Maar vond het dus niet nodig om ons te bellen!'
'Tot het moment dat ik hem ermee confronteerde, heeft hij niet gedacht aan een verband hiertussen.'
'Wat voor indruk maakte die man op je?'
'Oud, een beetje verward.'
'Over z'n erf zei je. Heeft hij dan niets gehoord?'
'Nee, maar dat is niet vreemd. Santing is zo doof als een kwartel.'
'Wanneer ontdekte Santing dat bloed?'
'Dat moet de dag na de moord zijn geweest. Hij borstelt het beest dagelijks, na de koffie om tien uur 's morgens.'

Benders zuchtte. 'Maar het kan toch inderdaad van een stoeipartij met een andere hond zijn gekomen?'
'Dat kwam het niet.'
'Heb je...?
'Ja. Santing heeft me de plek gewezen waar hij het bloed vond. Ik heb een gedeelte van zijn vacht laten onderzoeken. Het bloed kwam van het slachtoffer, geen twijfel mogelijk.'
Benders hapte naar adem.
'Dit zegt dus veel', vervolgde Teulings. 'We weten nu dat de dader bekend moet zijn met de directe omgeving. Dat hij geweten moet hebben dat erover de sloot loopplanken liggen. Dat is opvallend, want vanaf de weg is dat niet zichtbaar. Als ik niet op onderzoek was uitgegaan, had ik ook niet ontdekt dat het weiland vanuit dat punt bereikbaar was.'
'Toeval misschien?'
Teulings schudde z'n hoofd. 'Dat denk ik niet, Frank. Als de moordenaar dit bij toeval als zijn vluchtweg ontdekte, was hij op een probleem gestuit.'
'Wat voor probleem?'
'Aan de overkant van het weiland was hij op de dijk terechtgekomen. Als hij vanaf dat punt geen vervoer had, kostte het hem uren lopen om weer in de bewoonde wereld te komen. Niet erg voor de hand liggend dus.'
Benders knikte. 'Ik begrijp het, ja. Onze moordenaar moet dus niet alleen op de terugweg, maar ook op de heenweg langs de boerderij van Santing zijn gekomen.'
'Precies. Wat die loopplanken betreft kan er dus geen sprake zijn van een toevallige ontdekking. De moordenaar moet het hebben geweten.'
De rechercheurs keken elkaar zwijgend aan. Benders besefte dat hiermee de kring, waarbinnen een eventuele dader gezocht moest worden, was geslonken. Maar hij wist ook dat deze kring hem nog steeds onbekend was. Dat hij in die zin dus niets was opgeschoten.

‘Ik heb daar over nagedacht’, onderbrak Teulings zijn gedachten. ‘Allereerst heb ik me afgevraagd wie deze planken ooit heeft neergelegd. De zoon van Santing wist me te vertellen dat ze er een jaar of twaalf liggen.’
‘Zijn zoon?’
‘Wim Santing ja, hij kwam toevallig langs. Volgens hem zijn ze destijds neergelegd door een krantenjongen. Santings boerderij valt nog onder het verspreidingsgebied Oost 2. Dat wil zeggen dat voor de krant van Santing anders een grote omweg zou moeten worden gemaakt.’
‘Slim bedacht.’
‘Ja, er wordt tot op de dag van vandaag nog steeds gebruik van gemaakt.’
‘Is dat een optie?’
‘Weet ik niet. Ik heb een lijst met namen van de jongens, die de afgelopen vijftien jaar deze kranten hebben bezorgd. Het zijn er negen. Ik denk niet dat het onverstandig is om ze na te trekken.’
Benders gaapte en knikte tegelijkertijd. Wat hij werkelijk dacht, was klip en klaar. Krantenjongens moorden niet. Krantenjongens bezorgen kranten. Maar hij had gekkere dingen meegemaakt.

17

'Niet meer thuisgekomen?' Paula keek Benders met grote ogen aan. 'Ben je al bij Ellen geweest?'
'Ik ben vanmiddag bij haar geweest. Ze stond erop dat ik je de groeten deed. Morgen zou ze weer bij je langsgaan.'
'Hoe was ze eronder?'
'Kalm. Ze maakte op mij de indruk zich al verzoend te hebben met het onvermijdelijke.'
'Donder op Frank, dit meen je niet.'
'Zou ik het anders zeggen?'
'Maar.... denkt ze dan werkelijk dat...'
'Dat haar mus dood is, ja. Dat denkt ze werkelijk.'
Paula trok haar wenkbrauwen omhoog. 'Haar mus?'
Benders legde haar uit wat hij bedoelde. 'Ik vind het een vreemd mens', vervolgde hij. 'Ik kan geen hoogte van haar krijgen.'
'Ellen is een schat.'
' Wat vind jij in godsnaam schattig aan haar?'
'Ik denk, dat het dat moederlijke van haar is dat mij zo aantrekt. Ze heeft iets, waardoor ik me geborgen bij haar voel. Ik vertrouw haar. Ik denk, dat ik mijn diepste gevoelens bij haar kwijt zou kunnen.'
'Begrijp jij ook wat ze bedoelt als ze zegt dat een adelaar aan haar niet is besteed?'
'Heeft ze dat zo gezegd?'
'Letterlijk, ja.'
Paula keek hem zwijgend aan. 'Ik denk wel dat ik dat begrijp, ja', zei ze tenslotte. 'Die adelaar is voor haar het symbool van de jager. Mannen zijn jagers. Ellen heeft het niet zo op jagers. Het is geen geile vrouw, geen ontvankelijke prooi. Erotiek is voor haar wellicht een noodzakelijk kwaad, meer niet.'
'Jezus.'
'Waarom schrik je daarvan, Frank? Het is allang bekend dat

er vrouwen zijn die de man uitsluitend voor de noodzakelijke voortplanting kiezen. Als het nest vol is, is het uit met de seks.'
'Dus jij denkt.... ?'
'Ik sluit dat niet uit, nee. Het verklaart in elk geval haar laconieke houding tegenover het vreemdgaan van haar man.'
Benders keek z'n assistente weifelend aan, maar zei niets. Hij dacht aan Grazyna. Tussen Eline en hem was het ook tijdelijk uitgeweest. Maar bij Veldhoven was het meer geweest. Hij had willen scheiden, hij had verder gewild met Evelien. Of had hij dat zelf ook met die Poolse vrouw gewild? Was het niet domweg het feit geweest, dat Grazyna dit niet wilde? In gedachten schudde hij z'n hoofd en keek naar Paula. 'Dus dat noem jij schattig?', vroeg hij een beetje pissig.
'Ligt er aan.'
'Ligt aan wat?'
Hoe open hun relatie was. In mijn optie ga ik ervan uit, dat Ellen wat haar gevoelens betreft open kaart heeft gespeeld met haar man.'
'Jij bedoelt dat ze hem de ruimte gaf om zijn gang te gaan?'
Paula ging rechtop zitten en knikte. Ze vroeg Benders haar kussen omhoog te trekken. 'Zoiets, ja', antwoordde ze ondertussen, 'Bij sommige relaties kan dat.'
Benders dacht na. Als Paula gelijk had, vielen er veel dingen op z'n plaats. Ellen gedoogde Jurriaans vreemdgaan, maar stelde wel haar grenzen. Tot hier en niet verder. Veldhoven overschreed die grens en werd onmiddellijk teruggefloten. Maar waarom? Wat was de waarde van zo'n relatie? Wat verbond die twee nog met elkaar? Hun zoon, hun gezin?
'De dokter heeft gezegd dat hij er zich sterk voor wil maken mij met de kerstdagen naar huis te laten gaan', onderbrak Paula z'n gedachten.
'En vind je dat prettig?'
'Ja en nee.'
Hij keek haar vragend aan. 'Waarom die nee?'

Ze liet zich weer zakken en vertelde hem wat Marit die middag te horen had gekregen.
'Ik herkende haar niet meer, Frank', zei ze bezorgd. 'Ze gedroeg zich echt hysterisch. Ik maak me zorgen om haar.'
'Ik kan me haar reactie wel voorstellen. Je voelt je toch even klote.
'Maar wat raad jij aan?'
'Doorgaan. Misschien zijn er andere mogelijkheden. Elke wet kent z'n mazen.'
'Anders kunnen we altijd nog een hondje nemen', relativeerde Paula.
Benders lachte. 'Oh ja, over honden gesproken', zei hij en vertelde wat Teulings vanmiddag bij Santing had ontdekt.
'Dat is groot nieuws, Frank. Eindelijk een spoor.'
Benders knikte. 'Ben stelde voor om die krantenjongens na te trekken. Wat vind jij daar van?'
'De kans is klein, maar niet geschoten is altijd mis. Bovendien heeft Ben hier recht op.
'Dat is ook zo', beaamde Benders. 'Maar je weet hoe onze bezettingsgraad is. Waar haal ik in godsnaam m'n mensen vandaan?'
'Mag ik jou een idee aan de hand doen?'
'Ik luister.'
'Vanmiddag las ik in een tijdschrift, dat vijf jonge mensen van de school van de journalistiek als stageopdracht een onderzoek moesten doen naar de gedragingen van treinpassagiers die geconfronteerd werden met een vertraging. Hun bevindingen zouden gepubliceerd worden in de Nieuwe Revue. Als jij nu eens de politieacademie benadert met het verzoek studenten beschikbaar te stellen voor het natrekken van deze krantenjongens, eveneens in het kader van een stageopdracht.'
Benders keek haar perplex aan. 'Meen jij dit, Paula?
Ze stak twee vingers omhoog. 'Zo helpe mij God almachtig.'
Hij dacht onmiddellijk aan Joris. Waarom ook niet?

Het was vrijdag. Over anderhalve week zou het Kerstmis zijn. Benders stond voor het raam in zijn kantoor en zag dat het sneeuwde. Grote vlokken, die onafgebroken naar beneden dwarrelden om eenmaal neergedaald in een waterig vocht te versmelten. Het maakte hem triester dan dat hij al was. Eline had hem vanmorgen laten weten, dat Joris en Femke op eerste kerstdag niet thuis zouden zijn. Joris wilde met vrienden naar Parijs gaan. Femke zou met haar vriend naar zijn ouders in Friesland gaan. Eline had zijn onbegrip hierover onredelijk en kinderachtig genoemd. Hij erkende haar gelijk hierin, maar de triestheid bleef. Het had hem overvallen. Hij had zich niet voorbereid op volwassen kinderen. Het was te snel gegaan. Waarom blijven kinderen niet gewoon kinderen? Bijna tegelijkertijd schudde hij z'n hoofd. Hij dacht aan zijn vader. Metaalarbeider. Zes uur de deur uit. Half zes weer thuis. Gebroken. Vijf kinderen. Hij was de vierde. Toen hij zeventien was, verloor hij de man die hem had geleerd hoe je een band moest plakken, hoe je schaatsen moest slijpen en hoe je je diende te gedragen tegenover je medemens. "Respect krijg je niet Frank, respect moet je verdienen." Hij knikte, nam plaats achter z'n bureau en staarde naar z'n handen. Zijn handen. De kracht van generaties smeden lagen hierin verankerd. Kolenschoppen, noemde Eline ze ooit. Joris had ze ook. Hoe zou hij zich zijn vader straks herinneren? Wat had hij zijn zoon meegegeven, anders dan het plakken van banden en kolenschoppen van handen? Het zoeken naar een antwoord hierop werd onderbroken door een rinkelende telefoon.
'Benders, recherche.'
'Meneer Benders, goedemorgen met Jaspers spreekt u.'
Benders dacht na. Hoewel de naam hem bekend voorkwam, kon hij bij de stem noch een naam noch een gezicht plaatsen.
'En wie is meneer Jaspers?'
'Uw zoon zit bij mij op de politieacademie', hielp de man.
'Joris, hij stelde me vanmorgen een vraag die me nogal ver-

raste, aangenaam verraste moet ik zeggen.'
Hij wist het weer. Honderden keren had Joris deze naam laten vallen. Jaspers. Bert Jaspers, docent communicatie. Een toffe peer.
'Dan doelt u waarschijnlijk op het verzoek om bij wijze van stageopdracht te assisteren bij het afnemen van enkele verhoren.'
'Exact, meneer Benders. Ik vind het een mooi plan.'
'Uit nood geboren.'
'Nood breekt wetten, zullen we maar zeggen.
'Welke wetten?'
'Onze leerlingen hebben niet de bevoegdheid om verhoren af te nemen. Voor de goede orde zullen we deze verhoren dus gesprekken noemen. U moet zich dan wel realiseren, dat niets van het gesprokene ooit tegen ze gebruikt zal kunnen worden.'
'Dat is me bekend ja, maar in deze zaak mogen we niets onbeproefd laten.'
'Ik begrijp het, Joris heeft me alles verteld.'
'Alles is te veel meneer Jaspers, u moet hem daar op aanspreken.'
Aan de andere kant hoorde hij een zacht gegrinnik. 'Joris is spontaan, moet ik hem dat afleren?'
'U moet hem leren gedoseerd om te gaan met informatie.'
'Maakt u zich geen zorgen, meneer Benders, er is weinig dat ik Joris nog moet leren. Wat dat betreft hebt u het gras al voor mijn voeten weggemaaid. Het wordt een topper, die zoon van u.'
Benders schraapte zijn keel. 'Goed ik zal u de benodigde informatie doen toekomen, u hoort nog van mij.' Hij legde de hoorn terug op het toestel. Tijd om van het trotse gevoel over zijn zoon te genieten werd hem niet gegund, de telefoon rinkelde andermaal. Met tegenzin nam hij de hoorn weer op. Het was officier van justitie Tilders. Hij vertelde dat de rijksrecherche

aannemer Mulder in staat van beschuldiging had gesteld. Onder andere in verband met het op onrechtmatige wijze verkrijgen van opdrachten voor de rijksgebouwendienst. De aanklachten bestonden onder meer uit het betalen van steekpenningen, het sjoemelen met de posten meer- en minderwerk en het niet bouwen conform bestek.
'Maar de bewijslast is flinterdun', voegde Tilders daaraan toe. 'Er kan maximaal een voorlopige hechtenis van tien dagen worden gelast, maar dan is de koek op.'
'Veldhoven?'
'Ja. Hij is de kroongetuige. Hij moet boven water komen.'
'Zijn vrouw geeft ons weinig hoop. Volgens haar leed haar man onder ernstige depressies. Zij vreest het ergste.'
'Zelfmoord?'
'Daar houdt ze rekening mee, ja.'
'Dat klinkt weinig hoopvol.'
Benders maakte een trekkende beweging met zijn schouder. 'Vanavond komt er een politiebericht voor de televisie. Meer kan ik op dit moment niet bedenken.'
Het bleef even stil aan de andere kant. 'Denk jij niet aan een liquidatie, Frank?'
'Eerlijk gezegd, nee.'
'Mulder heeft anders wel een motief.'
'Als Veldhoven door geweld om het leven is gebracht, is dat door de persoon gebeurd die ook Evelien heeft omgebracht. Daarvan ben ik overtuigd.'
'En jij sluit uit dat die persoon Paul Mulder geweest kan zijn?'
'Eerder deed jij dat ook.'
'Dat is waar, maar de motieven stapelen zich nu op.'
'Toch houd ik het erop van niet.'
'Waarom?'
'Dertien messteken, Thomas. Dat is een explosie van haat. Dat past niet bij de zaak Mulder.'
Benders hoorde een lange zucht aan de andere kant. 'Frank,

met alle respect, maar.....'
'Luister Thomas', onderbrak Benders. 'Ik moet me nu concentreren op de zaak Evelien Mulder. Mijn overtuiging, dat de verdwijning van Veldhoven te maken heeft met de moord op deze vrouw neemt toe. Meer kan ik er nog niet over kwijt. Meer weet ik zelf ook nog niet. Het is een gevoel. Een gevoel, waarin Mulder geen rol speelt. Sorry, als ik wat vaag ben.'

Benders legde met een vermoeid gebaar de hoorn terug. Tilders had afgesloten met te zeggen dat hij het idee kreeg, dat als hij Benders zo hoorde praten, de zaak Evelien Mulder binnenkort zou zijn opgelost. Maar Benders deelde deze mening allerminst. Integendeel zelfs. Het gevoel, waarover hij had gesproken met de officier, dwarrelde als los zand door zijn hoofd. Hij kon onmogelijk bedenken hier ooit een vaste vorm in te krijgen.

18

Het verraste Paula toen ze Ellen met een stralende glimlach zag binnenkomen. In niets leek ze op de vrouw van wie de echtgenote als vermist was opgegeven. Goed, uit gesprekken met Frank was haar duidelijk geworden dat het met de liefde niet zo diep meer had gezeten. Maar dan nog. Ook aan een mus kun je je hechten. Dat de erotiek uit een relatie is verdwenen, wil nog niet zeggen dat er geen sprake meer is van houden van. Erotiek is tenslotte geen must. Ellen is geen geile vrouw, maar ze koesterde haar mus. Zoals je een kind kunt koesteren. Maar verdomme, als je dat kind verliest, trek je toch niet zo 'n tronie....
'Hoi, Paula', onderbrak Ellen haar gedachten. 'Je ziet er goed uit, beter dan de laatste keer toen ik bij je was.'
'Dat geldt voor jou ook Ellen, en eerlijk gezegd verbaast me dat nogal.'
Ellen pakte een stoel en ging aan Paula's bed zitten. 'Je bedoelt Jurriaan?'
'Ja. Frank is hier geweest, hij heeft me verteld dat Jurriaan nog steeds spoorloos is.'
Ellen knikte traag. 'Dat klopt ja', zei ze mat. 'Ik moet je ook eerlijk bekennen dat ik niet gerust ben op zijn terugkomst.'
'Waarom niet?'
'Dat heb ik je al eerder verteld. Jurriaan verzwolg in zijn schuldbesef. Hij zag geen andere uitweg meer.'
'Je gaat er echt van uit, dat hij......'
'Zichzelf van kant gemaakt heeft, ja', zei ze resoluut. 'Maar God, Paula, kunnen we het niet over gezelligere dingen hebben, ik bedoel.....' Ze stokte.
'Wat bedoel je?', drong Paula aan. 'Waarom wil je hier niet over praten?'
'Omdat het zinloos is. Ik moet Jurriaan proberen te vergeten.

Hij komt niet meer terug, hij komt nooit meer terug, en misschien is dat wel beter.'
Paula keek haar verbijsterd aan. 'Misschien is dat wel beter? Wat bedoel je daar in godsnaam mee?'
'Soms is het beter om los te laten. Jurriaan was niet meer te helpen, door mij niet en door niemand. De ochtend voor zijn verdwijning heb ik nog met hem gepraat. Voor mij was dat het afscheid. Ik heb respect voor zijn keuze. Ik begrijp het ook. Maar ik moet verder, wij moeten verder. Ik heb nog een zoon.'
'Dat begrijp ik ja, maar.....'
'Dat begrijp jij niet!', onderbrak Ellen ineens hard. De anders zo vriendelijke groene ogen vlamden op en er verschenen roodpaarse vlekken in haar hals. 'Dat kun jij ook niet begrijpen', vervolgde ze met overslaande stem. 'En ik verwacht van jou ook niet dat je het begrijpt. Jurriaan is dood. De enige die kan begrijpen waarom, ben ik.'
Paula keek haar geschrokken aan en zweeg. Ze zag hoe even later de vlekken in Ellens hals wegtrokken. Na enkele seconden keken ook haar ogen weer vriendelijk.
'Sorry, Paula', zei ze verontschuldigend. 'Ik had me niet zo moeten laten gaan.'
'Geeft niet, tenslotte was het maar een mus.'
'Dat is geen aardige opmerking, Paula. Ik hield van Jurriaan, vergeet dat niet.'
'Ja, maar...'
'Waarom huil je dan niet? Is dat wat je wilde zeggen?'
'Zoiets, ja. Het gemak, waarmee jij zijn dood accepteert, is voor mij niet uit te leggen.'
'Soms is de dood een bevrijding. Jurriaan was al een tijdlang ongelukkig. Diep ongelukkig.'
'Was hij dat ook bij Evelien?'
'Evelien was een vlucht, dat heeft hij later zelf ook toegegeven. Hij hield van mij, hij hield van Bas. Hij hield van zijn

gezin.'
'En Bas? Hoe is Bas eronder?'
'Bas mist hem vreselijk. Ik kan het hem niet uitleggen. Zijn verdriet doet me nog de meeste pijn.'
'Toch zal je het hem ooit moeten vertellen.'
Ellen knikte, maar Paula zag haar twijfel.
'Frank vertelde me dat er vanavond met een politiebericht melding wordt gemaakt van zijn vermissing. Hoe zou je reageren als hij werd gevonden, levend bedoel ik.'
Ellen staarde over Paula's hoofd naar de witte muur. 'Ik wil er niet aan denken, maar misschien dat ik dan wél zou huilen.'

19

Nadat Benders het besluit had genomen om de drukke provinciale weg te verruilen voor de dijk, werd hij plotseling overvallen door een gevoel van twijfel. Niet wat zijn keuze voor de dijk betrof. Daar reed inderdaad weinig verkeer, en met een beetje geluk kon hij toch nog op tijd komen voor zijn afspraak met mevrouw Mulder. Nee, dat was niet langer zijn probleem. Maar wat in godsnaam had hem ooit bezield om die puberale politiestudentjes toe te laten in zijn onderzoek? Verdomme, er zaten kinderen tussen die de achttien jaar amper haalden. Hij moest dit terugdraaien. Hij moest, voor hij de geschiedenis inging als een malloot, subiet de schoolleiding laten weten van hun diensten af te zien.
Tegen de dijk zorgde een stevige noordoosterwind voor het nodige tumult. De aanrollende golven spatten met grote kracht tegen het zwarte basalt uiteen. Benders schudde z'n hoofd, alsof hij dit natuurgeweld wilde afkeuren. Tegenover Joris kon hij dit niet maken. Die jongen had natuurlijk met veel bravoure tegenover z'n klasgenoten verteld wat er ging gebeuren. "Een moordzaak Joris? Jezus wat spannend." Hij zuchtte, trok z'n schouders op en sloeg linksaf. Hij moest het beste er maar van hopen.
Voor de kruising van de provinciale weg moest hij stoppen voor het rode licht. De gele bus, die zojuist voor hem had gereden, passeerde hem. Hij keek op het digitale klokje op z'n dashboard. Vijf minuten te laat al. "Ik zou u graag willen spreken in verband met de arrestatie van mijn man", had Ada Mulder gezegd. Een voorspelbaar gesprek, verwachtte Benders. Hij zou worden overladen met verwijten. "Mijn man doet zoiets niet. Hoe haalt u het in uw botte hersens?" Toch had hij in dit onderhoud toegestemd. Ada moest hem nog veel vertellen. Veel, dat hem nog steeds niet duidelijk was geworden.

Exact twaalf minuten na de afgesproken tijd stapte Benders achter Ada de woonkamer in. Het schemerde al. In de hoek, waar hij tijdens zijn laatste bezoek had gezeten, stond nu een kerstboom te flonkeren. Benders keek verward om zich heen, alsof hem zijn vaste plaats was afgenomen.
'Gaat u zitten, meneer Benders', zei ze vriendelijk en wees hem op een plaats naast de boom. 'Ik wil u zeggen, dat ik het in u waardeer dat u mij te woord wilt staan', zei ze, nadat hij had plaats genomen. Benders knikte. Ada oogde nerveus. Het viel hem op, dat ze in tegenstelling tot zijn laatste bezoek een bril droeg. Vanachter de kleine, goudomrande glazen keken haar bruine ogen hem vragend aan. 'Wilt u iets drinken?'
'Graag, mevrouw Mulder.'
'Ada. Zou u me Ada willen noemen?'
Hij keek haar verbaasd aan.
'Om de afstand te verkleinen. Ik bedoel, ik heb tegen dit gesprek opgezien. Het is voor mij van belang dat ik me op mijn gemak voel.'
Benders probeerde te glimlachen. 'Ik zou de laatste willen zijn die hier niet aan mee zou willen werken, Ada.'
'Dank u. Wat wilt u drinken?
'Als je hebt, een spa rood.'

'Hoe groot is de kans, dat Paul wordt veroordeeld?', vroeg Ada na een stilte, die Benders als pijnlijk begon te ervaren.
Hij zette z'n lege glas terug op tafel en trok z'n schouders op.
'Dat is niet te zeggen. Ik heb geen inzicht in de omvang van de tenlastelegging. Ik weet ook niet hoe het is gesteld met de bewijsvoering. Dit is een zaak van de rijksrecherche, wij staan hier buiten.'
'Volgens Paul hebben ze geen poot om op te staan.'
'En volgens jou?'
'Volgens mij draait hij de bak in.'

‘Waarom denk je dat?’
‘Ik ken hem. Paul is geen lieverdje waar het om zaken gaat.’
‘Maar je weet niet…?’
‘Nee’, onderbrak ze. ‘Paul betrok mij niet in zijn zaken. Privé en zakelijk hield hij strikt gescheiden.’
‘Maar je zegt wel: het is geen lieverdje waar het om zaken gaat.’
Ada knikte traag en zette nu ook haar lege glas terug op tafel.
‘Bent u ambitieus, meneer Benders?’, vroeg ze plotseling.
Hij keek haar verbaasd aan. ‘Ik denk ambitieus genoeg om mijn werk nog steeds naar behoren te kunnen doen’, antwoordde hij.
‘Maar niet bij het ziekelijke af, zoals Paul?’
‘Waar doel je op, Ada?’
‘Ik ben Paul al jaren kwijt aan zijn ambitie.’
‘Wat is dan zijn ambitie?’
‘Ooit de grootste aannemer van Noord-Holland te worden en God mag weten wat er dan nog volgt. Ik ben ervan overtuigd, dat het doel om dat te bereiken wat hem betreft alle middelen zal heiligen.’
‘Ook een moord?’ Benders schrok van z’n eigen vraag. ‘Ik bedoel…?’
‘U bedoelt Evelien’, hielp ze. ‘Nee, vergeet dat maar. Paul is hard, slim ook, maar niet gewelddadig. Geweld is een brug te ver voor Paul.’
‘Hoe weet je dat zo zeker?’
Ada zette haar bril af, wreef met beide wijsvingers in haar ogen en keek Benders aan. ‘Ik ken Paul al meer dan twintig jaar’, zei ze, terwijl ze haar bril weer terugplaatste. ‘Zijn bedrijf is zijn kind. Een alternatief, dat ik helaas niet kan delen. Hebt u kinderen, meneer Benders?’
Benders knikte. ‘Een zoon en een dochter.’
‘Fantastisch’, reageerde ze gemeend. ‘Onze kinderloosheid heeft onze relatie op de proef gesteld. Nadat het tot Paul was

doorgedrongen dat hij nooit vader zou worden, heeft hij zich volledig op zijn werk gestort.'
'Lag het...?'
'Aan Paul ja? Lui zaad. Weet u dat wij na die boodschap nooit meer seks hebben gehad.'
Benders slikte. 'Waarom vertel je me dit?'
'Om u uit te leggen, dat ik zeker weet dat Paul niets heeft uit te staan met de moord op Evelien.'
'Ik luister.'
'Het is inmiddels twaalf jaar geleden', begon ze. 'Na die boodschap verloor ik niet alleen m'n hoop op een moederschap. Ook m'n vrouwzijn werd op de proef gesteld. Paul kon en wilde er niet over praten. Hij had z'n werk. Ik had niets. Tot Cor kwam. Bij hem kon ik uithuilen. Dat we op een dag in bed belandden, was een logisch gevolg. Dat Paul ons in dat bed betrapte een drama.'
'Hoe reageerde Paul?'
'Hoe zou u reageren als u uw zwager in bed aantreft met uw vrouw?'
Benders wenkbrauwen schoten omhoog. 'Je bedoelt...?'
Ada knikte. 'Cor Lakeman, ja. Hij gaf mij troost, meer niet, meer was het niet.'
Dat verklaart alles, dacht Benders. Mulder z'n beschuldigingen aan het adres van Lakeman waren dus ingegeven door rancune. Een opgekropte haat ten opzichte van de man, die zijn vrouw had geneukt.
'U hebt nog geen antwoord gegeven op mijn vraag.'
Benders schrok op uit z'n overpeinzing. 'Ik had hem denkelijk vermoord', antwoordde hij verward.
'Paul deed niets. Hij sloot de deur, alsof hij ons de gelegenheid wilde geven afscheid te nemen. Toen Cor weg was, zei hij dat hij dat niet van mij had verwacht. Dat hij teleurgesteld was. En dat was het. Nadien is er nooit meer met een woord over gesproken. Na dat voorval heb ik mezelf voorgenomen

hem voor de rest van mijn leven trouw te blijven. Ik vond dat hij dat verdiende.'
'Wat wil je met dit verhaal bewijzen, Ada?'
'Dat Paul van me houdt. Dat hij de mensen van wie hij houdt, nooit op enigerlei wijze geweld zou kunnen aandoen. Paul hield ook van Evelien. Dat weet ik zeker.'

Nadat Benders de oprijlaan van de villa had verlaten, haalde hij opgelucht adem. Het was donker geworden en hij voelde dat er sneeuw in de lucht hing.
Hij kon het hoofdstuk Paul Mulder afsluiten. "Hij hield van zijn zuster, dat weet ik zeker." Ada was open tegen hem geweest. Haar slippertje met Cor Lakeman was niet meer geweest dan een uitspatting van heimelijk verlangen. "Ik dank God nog dagelijks op mijn blote knieën, dat ik toen niet zwanger ben geraakt." Daarna was ze zonder aansporing beginnen te vertellen. "Het was zomer en het was warm. Cor zou bij ons een schutting plaatsen. Ik zat buiten op het terras en zag hoe hij z'n T-shirt uittrok. Uit de naastgelegen tuin hoorde ik het schreeuwen van een kind. Ik staarde naar Lakeman alsof ik voor het eerst van m'n leven een man zag. De potentie spatte van zijn gebruinde huid. Drie jaar meneer Benders, kunt u zich dat indenken? Ik wilde opstaan om naar binnen te gaan. Om me uit te kleden. Om die afschuwelijke honger te stillen. Maar Cor floot me terug. Letterlijk. Hij gebaarde me naar hem toe te komen. Het voelde alsof hij me wilde behoeden voor een surrogaatoplossing. Hij vroeg me naast hem te komen staan en een schuttingpaal vast te houden. Even maar, om hem de gelegenheid te geven die paal de grond in te rammen. Zo zei hij dat, de grond in te rammen. Ik stemde toe en sloeg mijn handen om het hout. Hij moet hebben gezien hoe mijn handen trilden. Hoe mijn hele lichaam trilde. Hij keek me aan en voordat ik het wist, lagen we in bed."
Verder had ze hem verteld, dat de breuk tussen Cor en Evelien

een gevolg was geweest van dit slippertje. Jaren was het doodgezwegen. Tot Paul na de miskraam van Evelien door emoties werd overmand. Hij verweet Cor de miskraam. "Jij hebt alles gesloopt wat me lief was", had hij hem toegeschreeuwd. De rest was gevolgd. Evelien was daarbij. De relatie hield daarna nog een jaar stand, maar het was een verloren zaak. Kunt u zich voorstellen, meneer Benders, dat ik me indirect ook schuldig voel aan de dood van Evelien?'
Hij was wat ongemakkelijk blijven zitten toen ze haar bril afzette om haar tranen te drogen. Zoals altijd wist hij zich met dit soort situaties geen raad. Hij had iets gemompeld van dat dit onzin was. Dat ze dit zo niet moest voelen. Dat ze zichzelf de dood van Evelien niet moest aanrekenen.
Terwijl hij met zijn auto de provinciale weg opdraaide, besefte hij hoe hol dit moest hebben geklonken. Hij was daar niet goed in, in troosten. In de juiste woorden op het juiste moment weten te zeggen.
Hij had Ada moeten beloven, dat het tussen hen moest blijven. Ze zei hem dit te hebben verteld om aan te tonen dat Paul niets met de moord op Evelien van doen had. Omdat ze bang was, dat na zijn arrestatie deze link gelegd zou worden. Hij had haar niet verteld dat deze link al eerder was gelegd. Wel, dat hij niet geloofde dat haar man zijn zuster had vermoord, maar dat hij als politieman alles open moest houden. Dat zijn ervaring hem had geleerd tot het einde aan toe niets uit te mogen sluiten. Daarna was het gesprek gekomen op de verdwijning van Jurriaan.
Ada kende hem goed. Hij werd door haar geschetst als een sympathieke, gevoelige man. Ze kon zich heel goed voorstellen dat Evelien verliefd op hem was geraakt. In tegenstelling tot Cor had deze man stijl. Bovendien adoreerde hij Evelien. Die twee mensen hadden een beter lot verdiend. Evelien had haar in vertrouwen wel eens verteld, dat ze plannen had om Jurriaan in de zaak te betrekken. Als Paul hiermee niet akkoord wilde

gaan, zou ze zelfs overwegen zich uit te laten kopen om zelfstandig met hem verder te gaan. Jurriaan was een bevlogen, maar ook miskende architect. Zijn ontwerpen kregen hier geen poot aan de grond. Ooit had ze een schaalmodel van hem gezien van een door hem ontworpen villa. Het was niet haar smaak, maar als ontwerp was het geniaal. Alles was rond. Hij had haar verteld dat hij was uitgegaan van de oervorm. Die was rond. Rond was voor hem het synoniem van zacht en warm. Toen Benders haar vroeg of ze zich kon voorstellen dat Jurriaan zichzelf van het leven zou kunnen beroven, had ze na enige aarzeling geknikt. "Ja, ik kan me dat van hem wel voorstellen. Met de dood van Evelien is hij alles kwijt geraakt. Ook zijn herstelde gevoel van eigenwaarde." Verbaasd over deze laatste opmerking had hij gevraagd wat ze hiermee bedoelde. "Jurriaan had een kind-moederverhouding met zijn vrouw. Met Evelien leerde hij inzien hoe weerzinwekkend dat altijd was geweest."
Benders tuurde door zijn autoruit de inmiddels donkere avond in. Hij herhaalde het antwoord van Ada enkele malen. Zijn onrustgevoelens waren erdoor toegenomen. Hij wist waarom. Het was half acht en het begon te sneeuwen. Hij twijfelde eraan Jurriaan ooit nog levend terug te zien.

20

De reacties op het politiebericht, waarin melding werd gemaakt van de vermissing van Jurriaan, waren even veelvuldig als nietszeggend geweest. Het bureau werd overstelpt met telefoontjes, die varieerden van "Hij staat hier voor me bij de kassa" tot "Vannacht ben ik nog met hem naar bed geweest." Walgelijke mensen die een dergelijk bericht aangrepen om de intense saaiheid van hun bestaan een ogenblik kleur te geven.
Benders wist dit. Hij kende zijn pappenheimers en voelde dan ook feilloos aan dat slechts twee van de vele reacties het verdienden nagetrokken te worden. De eerste was van een man, die vertelde ervan overtuigd te zijn, dat hij de man van de getoonde foto op de televisie herkende als de man die hij die ochtend voor de vermissing over de omringdijk had zien lopen. De plaats die de man aanduidde was bij het oude watergemaal, op enkele honderden meters van zijn woning. Op Benders z'n vraag of hem iets aan de man was opgevallen, vertelde hij dat hij op hem een verwarde indruk had gemaakt. "Hij liep daar in zijn T-shirt, terwijl het amper drie graden was. Ik heb nog een moment overwogen de man aan te spreken, maar u weet hoe dat gaat inspecteur. Ik hoop niet dat de man iets is overkomen, waarvoor ik hem had kunnen behoeden."
Benders had hem gezegd dat met hem te hopen en een afspraak gemaakt voor drie uur 's middags.
De tweede serieuze reactie kwam van een vrouw. Tijdens het uitlaten van haar hond op diezelfde dijk had ze de man gezien. Ook de vrouw had het bevreemd, dat hij slechts gekleed in T-shirt over de dijk liep. "Hij liep daar met gebogen hoofd. Ik vond hem een beetje zonderling. Hij zat volgens mij, zoals ze dat tegenwoordig noemen, niet lekker in zijn vel. Ik wenste hem nog een goedemorgen, maar de man reageerde daar niet op."

Tussen de eerste en de tweede waarneming zat ongeveer twintig minuten. Met dit verschil dat de vrouw hem op nog geen dertig meter van zijn woning had gezien. Veldhoven was dus teruggelopen. Terug naar huis? Het was ongeveer elf uur geweest. Drie uur later had hij Benders gebeld. Waarom? Om wat hij nog vóór zijn ochtendwandeling had ontdekt? Die ontdekking moet hem in elk geval behoorlijk van streek hebben gemaakt. Behoorlijk genoeg om hem te doen vergeten een jas aan te trekken, voordat hij de dijk opliep. Ellen was die ochtend niet thuis geweest. Ze had verklaard naar de stad te zijn gegaan. Toen ze terugkwam, zo rond half twaalf, was Jurriaan niet thuis geweest. Dat had haar niet bevreemd, want als hij niet tekende was hij op pad om toezicht te houden op onder handen zijnde projecten. Die middag was ze naar het ziekenhuis gegaan om een bezoek aan Paula te brengen. Nadat ze terugkwam, rond half zes, begonnen bij haar de eerste onrustgevoelens. Ze had met Jurriaan afgesproken, dat hij om vier uur thuis zou komen om Bas op te vangen. Jurriaan was daar altijd heel stipt in geweest. Benders wist nu wel beter. Jurriaan hoefde het niet in zijn hoofd te halen om daar niet stipt in te zijn. Elf uur was dus de tijd dat iemand hem voor het laatst had gezien. Om twee uur had Benders het laatste teken van leven gekregen. Veldhoven had nerveus geklonken, niet depressief. Hij had snel gesproken, alsof tijd zijn grootste vijand was.
'Ik moet meer weten', mompelde Benders en hij belde Ellen met het verzoek onmiddellijk naar het bureau te komen.

'Hebt u nieuws?' Ellen stond in de deuropening en keek hem vragend aan. Benders reageerde niet, maar vroeg haar de deur te sluiten en te gaan zitten. Pas toen schudde hij z'n hoofd.
'Niet het nieuws waarop u op zit te wachten. Er zijn enkele tips binnengekomen die de moeite van het natrekken waard zijn, meer niet.'
'Waarvoor hebt u mij dan laten komen?'

'Om nog eens met u te praten.
Ellen sloeg haar benen over elkaar en keek de inspecteur aan. 'Vertelt u maar.'
'Er zijn aanwijzingen, die uw vermoeden dat uw man zwaar depressief zou zijn geweest, bevestigen. Onder de talrijke tipgevers zaten twee getuigen, die uw man in verwarde toestand op de dijk hebben aangetroffen.'
'Wat bedoelt u met aangetroffen? U zegt het alsof hij als aangeschoten wild op de dijk heeft gelegen.'
'Uw man liep in zijn T-shirt over de dijk. Op de getuigen maakte hij een verwarde en zonderlinge indruk.'
Ze knikte. 'Deze omschrijving past inderdaad bij het beeld van de Jurriaan, zoals ik hem de laatste uren heb meegemaakt.'
Benders zag haar tevredenheid. 'Toch hoorde ik een andere Jurriaan toen hij drie uur later belde.'
Ze keek hem verbaasd aan. 'Wat bedoelt u met anders?'
'Gehaast, nerveus, maar niet depressief. Hij wilde me spreken. Ik struikel nu steeds over de vraag waarom, waarover.'
'Meneer Benders, Jurriaan was zwaar depressief. Zijn telefoontje was een noodkreet. Of misschien moet ik zelfs zover gaan om te spreken van een doodskreet. U spreekt over gehaast en nerveus. Als u een professioneel hulpverlener was geweest zou u wellicht nog iets hebben bereikt door op hem in te praten, maar geloof me, dat zou uitstel van executie zijn geweest. Jurriaan wilde dood.'
Benders zuchtte. Hij keek de vrouw tegenover hem onderzoekend aan. "Ellen is een schat", had Paula gezegd. Wat miste hij, dat hij deze mening niet kon delen? Waarom bleef deze vrouw zo onbewogen volharden dat haar man, haar mus, of zoals Ada zei "haar kind" zelfmoord had gepleegd?
'Ik ben jaloers op uw overtuiging', zei hij. 'Soms wens ik hetzelfde te kunnen denken.'
Ze bleef hem zwijgend aankijken. Uiteindelijk brak er een wrange glimlach door. 'Ik kan me uw bedenkingen wel voorstel-

len', zei ze kalm. 'De bedrogen echtgenote. Het klassieke motief. Daar volhardt u in. Vanaf uw eerste bezoek had u het vermoeden, dat ik iets met de dood van Evelien te maken had. Nu gelooft u, dat ik meer weet over de plotselinge verdwijning van Jurriaan. Vermoedelijk is het uw professionele argwaan. Ik weet het niet. Wat ik wel weet is, dat ik niets te maken heb met de dood van Evelien, en ook niets te maken heb met de verdwijning van Jurriaan. Ik was niet alleen echtgenote, meneer Benders. Ik ben ook moeder. Ik heb een kind. Dat is wat voor mij telt. Dat Jurriaan deze verantwoordelijkheid niet meer aan heeft gekund, is al erg genoeg. Bas mag daar niet onder lijden. Begrijpt u dat goed, meneer Benders. Mijn zoon mag daar niet onder lijden!'
Benders schrok van de kracht, waarmee ze de laatste zin had uitgesproken. Het was haar ernst, zoveel was duidelijk. Blijkbaar beschikte Ellen over een oerkracht waar het haar kind betrof. Wellicht was dat de reden, dat ze het verlies van haar man ondergeschikt kon maken aan de toekomst van haar zoon.
'Hebt u uw zoon verteld wat u vermoedt?'
Ze schudde haar hoofd. 'Nee, Bas is daar nog niet aan toe. Als Jurriaan wordt gevonden, is het daar vroeg genoeg voor.'
'Hoe is Bas eronder?'
'Hij begrijpt het niet. Hij kan het begrip "vermist" geen plaats geven in zijn gevoelswereld. Bas is weliswaar veertien, maar verstandelijk reikt hij niet verder dan een kind van tien.'
'Hoe was de band tussen Bas en uw man?'
'Goed. Het waren maatjes. Jurriaan had veel geduld met hem. Hij hield van Bas.'
Het viel Benders op dat de uitdrukking in haar ogen veranderde, zodra Bas ter sprake kwam. Alert veranderde dan in mild.
'Toch overwoog hij ooit zijn gezin te verlaten.'
Ze knikte. 'Daar hebben we het al een keer over gehad, meneer Benders. Dat was een moment van zwakte.' Even krulden haar lippen omhoog, waarna ze hem veelbetekenend aankeek. 'Wel-

licht herkent u daar zelfs wel iets in.'
Hij keek haar geschrokken aan. Verdomme, wat wist dat mens van hem?
'Wat bedoelt u hiermee te zeggen?'
'Dat niets menselijks mij vreemd is, meer niet. Maar ik zie aan uw ogen dat ik blijkbaar een gevoelige snaar heb geraakt. Dat spijt me.'
Benders probeerde zijn figuur te redden door haar niet-begrijpend aan te kijken. Een vergeefse poging.
Ellen stond op en wees met een veelzeggende blik op haar horloge. 'Ik moet gaan', zei ze glimlachend. 'Bas komt zo uit school.'

*

Nadat Benders de deur achter Ellen dicht had horen vallen, was hij opgestaan. Hij belde Van Raalte op met het verzoek de twee getuigen, met wie hij voor deze middag een afspraak had gemaakt, op te vangen en hun verklaringen op te nemen. Hij was het zat. Eigenlijk kon de hele zaak hem gestolen worden. Met een woedend gebaar trok hij z'n jas van de kapstok en liep met grote passen zijn kantoor uit richting auto. Wat nu?, vroeg hij zich af. Hij keek op z'n horloge. Te vroeg nog om naar Paula te gaan. Moedeloos stapte hij in z'n Scorpio en reed richting stad, maar bedacht voor de afslag centrum dat hij dat niet wilde. Dat hij behoefte had aan rust. Dat de drukte van de stad hem nu tegenstond. Hij verliet het voorsorteervak om naar rechts af te slaan, wat hem een luid protesterend claxonneren opleverde van een achteropkomende automobilist. In zijn achteruitkijkspiegel zag hij de middelvinger van een zwaargebouwde jongeman omhoog gaan. De wereld had waarachtig een begin gemaakt zich tegen hem te keren, bedacht hij somber.
Op de dijk, voelde hij hoe hevig de wind was. Na een paar

kilometer parkeerde hij z'n auto beneden aan de dijk, vlak voor een boerenerf. Een herdershond kwam luid blaffend op hem toegelopen. 'Astra hier!', klonk het bestraffend vanuit de cabine van een tractor. 'Hij doet u niets, hoor meneer', riep de bestuurder hem toe. De man sprong behendig uit het voertuig en kwam op Benders toegelopen. De hond liep met zijn staart tussen zijn poten op de man af. 'Hoelang blijft u daar staan?', vroeg hij, wijzend op de Scorpio.
'Hooguit een kwartiertje, maar als ik in de weg sta, dan....'
'Nee, nee. Als u voor zes uur maar weg bent, dan is het mij goed. Komt u van hier?'
Benders schudde z'n hoofd. 'Hoorn. Ik ben hier alleen om even een frisse neus te halen.'
'Nou, dat zal u dan zeker gaan lukken. Oostenwind, berg u maar.'
Benders stak z'n hand omhoog en liep naar boven. In z'n rug prikten de ogen van de man, die hem duidelijk hadden gemaakt niets van hem te begrijpen. Een zielige figuur die nu opboksend tegen de koude wind een verlaten dijk beklom. Zo was hij dus verworden. Een rillende politieman, die in zijn te dunne jas nagestaard werd door het volk. Hij trok z'n kraag omhoog. Tegelijkertijd drong tot hem door dat nog niet zo lang geleden Jurriaan op deze dijk ook was nagestaard. Een verwarde man. Een zonderling figuur. Zo was hij omschreven. Maar waarover was hij in de war geraakt? Schuldgevoelens? Was de last zich verantwoordelijk te voelen voor de dood van zijn minnares hem te zwaar geworden? Of had hij zich vergist, was Jurriaan toch schuldig? Had hij zich willen aangeven, maar uiteindelijk besloten om met zichzelf af te rekenen?
Verdomme Veldhoven, wat bezielde jou om in je T-shirt over de dijk te zwalken? Wat ging erin je om? Jouw dood is de nekslag voor mijn onderzoek.
Benders schrok van zijn eigen gedachten. De overtuiging, dat Veldhoven dood zou zijn, had nu ook van hem bezit geno-

men. Of was die er al langer geweest, die overtuiging? Hij draaide zich om. Van de grond pakte hij een kiezelsteen en gooide die met kracht het IJsselmeer in. De kei kaatste drie keer op het water, voordat hij voorgoed in de diepte verdween. Toen knikte hij. 'Ik heb dit al die tijd geweten, ja.'

*

Paula van Es keek Benders geamuseerd aan, nadat hij zijn relaas had gedaan.
'Ik ben niet geschikt voor dit werk, Paula', zei hij somber. 'Voor dit werk moet je een pokerface hebben. Mijn gezichtsuitdrukking verraadt elke gemoedstoestand, dat is niet goed voor een politieman.'
Dat is juist je grootste charme, dacht Paula. 'Wat maakt dat uit?', zei ze bemoedigend. 'Heb jij ooit een zaak verloren zien gaan door deze eigenschap?'
'Weet ik niet, maar ik ging op mijn bek tegenover die doortastende tante. Ik leed gezichtsverlies.'
'Wat heeft Ellen je dan verteld?', vroeg ze zijn stemming negerend.
'Niet meer dan we al wisten. Ze blijft bij haar overtuiging, dat haar man zichzelf van het leven heeft beroofd. En om je eerlijk de waarheid te zeggen, na het horen van de twee getuigen ga ik daar zelf ook steeds meer in geloven.'
Paula ging rechtop in bed zitten en keek hem onderzoekend aan. 'Zeg eens eerlijk', zei ze. 'Denk jij dat Ellen haar man heeft omgebracht?'
Benders knikte. 'Ik sluit dat niet uit, nee.'
'Je sluit het niet uit?'
'Ik weet het niet. Ik zie geen verdriet bij haar, maar het kan ook zijn dat ze deze houding aanneemt om sterk te willen blijven voor haar zoon. Zijn leven gaat door, Jurriaan of geen Jurriaan.'

‘Ik wil nog een stapje verder gaan.’
‘Wat bedoel je, Paula?’
‘Liever zonder Jurriaan.’
‘Liever zonder Jurriaan?’
Paula vertelde Benders wat Ellen tijdens haar laatste bezoek had geantwoord op haar vraag hoe ze zou reageren als haar man weer boven water zou komen.
‘Ze zei me daar niet aan te willen denken. Ik zag daarbij een uitdrukking op haar gezicht, die ik toen niet kon plaatsen. Later, nadat ze was vertrokken, wist ik het. Die vrouw is krankzinnig. Een terugkeer van Jurriaan is voor haar een schrikbeeld. Het afgrijselijkste wat haar zou kunnen overkomen.’
Benders keek haar verbijsterd aan. ‘Dus jij..’
‘Ja, Frank. Ik heb er lang genoeg over kunnen nadenken. Ik heb me vergist. Ellen is niet schattig. Ze is eng, afgrijselijk eng. Ik vermoed dat ze meer weet dan ze tegenover ons heeft willen loslaten. Ze weet zeker dat hij dood is. En dat kan maar één ding betekenen.’
‘Ze moet het dus met eigen ogen hebben gezien.’
Paula knikte. ‘Erger nog’, zei ze zacht.

*

Toen Benders op huis afreed, besefte hij dat het de volgende dag zaterdag zou zijn. Dat hij dus een vrij weekend tegemoet kon zien. Die gedachte stemde hem goed. Paula had hem verteld, dat de artsen maandag zouden beslissen of ze nog voor de kerst naar huis zou mogen. Het herstel was vlotter verlopen dan ze voor mogelijk hadden gehouden. Hij had haar toen op voorhand uitgenodigd om op eerste kerstdag met Marit bij hem te komen eten. Ze had hem gezegd zich daarop te verheugen. Dat was meer dan hij had verwacht. Hij dacht eraan dat hij zich bijzonder gelukkig moest prijzen dat het zo goed was afgelopen met Paula. Hij keek uit naar de dag, waarop ze samen weer op pad konden gaan. Zou Jurriaan dan zijn gevonden? Zou de moordenaar, die de dood van Evelien op zijn of haar geweten had, dan zijn gepakt? Hij had de suggestie van Paula, dat Ellen eigenhandig haar man heeft omgebracht voorbarig genoemd. Er was geen motief anders dan dat ze dit zou hebben gedaan om hem uit zijn lijden te verlossen. Maar dat ging Benders te ver. Hij achtte Ellen daar te intelligent voor. En daarbij, gesteld dat ze hiertoe had besloten, dan zou ze dat op een wijze hebben gedaan die iedere verdachtmaking in haar richting zou uitsluiten. Nee, Veldhoven had zichzelf van het leven beroofd. Die overtuiging werd nu ook bij Benders sterker. Dat Ellen hiervan al langer overtuigd was, had ook te maken met haar achtergrond als psychologe. Ze had de symptomen van haar man herkend en op professionele wijze een diagnose gesteld. Jurriaan was niet meer te redden. Benders overwoog of het zinvol was om in de buurt van het gemaal te gaan dreggen. Daar was hij immers voor het laatst gezien. Het was niet onmogelijk dat, wanneer Veldhoven had besloten voor een verdrinkingsdood, zijn lichaam daar was blijven steken. Hij besloot na het weekend tot actie over te gaan. Volgende week zou Joris met zijn klasgenoten beginnen aan de verhoren van de krantenbezorgers. Negen personen, waarvan de jongste twaalf en de oudste vierendertig jaar. Hun medewerking vormde geen enkel probleem. Besloten was om de verhoren plaats te laten vinden op het bureau onder toeziend oog van een mentor; een oud-politieman van tweeënzestig die zijn sporen in het vak al ruimschoots had verdiend. Hoewel Benders geen enkel bruikbaar resultaat verwachtte, was hij toch nieuwsgierig naar de bevindingen van zijn zoon. Zijn eerste serieuze kennismaking met het vak. Inspecteur Joris Benders. Hij reed glimlachend de straat in waar hij woonde. Voor de garage zag hij hoe de motor van Jacob van Loon juist tot stilstand was gekomen. Femke stapte er af. Ze zette haar helm af en keek haar vriend stralend aan. Eline had gelijk. Hij had haar in geen maanden zo gelukkig gezien.

21

Zodra Benders de deur van de ziekenzaal achter zich had gesloten, pakte Paula haar boek van de kast. De misdaadroman waaraan ze was begonnen, was er één uit de inspecteur Van Arkelreeks van de auteur Jacob Vis. Een intrigerend verhaal over de moord op een aantal jonge vrouwen. Zo spannend, dat ze als vanzelf werd gedwongen verder te lezen. Zo spannend ook, dat ze niet merkte dat de deur van haar kamer openzwaaide. In de opening stond Ellen. In haar linkerhand droeg ze een bos herfstasters. In haar rechter hield ze een enveloppe omhoog. Met weidse gebaren probeerde ze Paula's aandacht te vangen, maar Paula reageerde niet. Pas toen ze merkte dat er een schaduw over haar gezichtsveld viel, schrok ze op. 'Ellen! Jezus, wat laat je me schrikken!'
Ellen keek haar lachend aan en legde de herfstasters aan het voeteneind van Paula's bed.
'Dat is niet mijn schuld, Paula. Je was volledig in trance. Was het zo spannend?'
Paula knikte, sloeg het boek dicht en legde hem terug op de kast. Ellen was het laatste waar ze nu zin in had. Maar hoe vertelde je iemand dat? Hoe vertelde je, dat je het vertrouwen in iemand bent kwijtgeraakt? Iemand, die je verdenkt van moord en nu met bloemen voor je bed staat, je aanstaart met een onbestemde glimlach en zich over je heen buigt om je een kus te geven.
Ze draaide haar hoofd om. 'Ik heb hier geen zin in, Ellen.'
Ze had niet kunnen voorkomen, dat de lippen van Ellen haar voorhoofd schampten.
'Voel je je niet goed, Paula?', vroeg ze, terwijl ze ging zitten.
'Het is niets, laat me maar. Ik ben moe. Ik heb liever dat je gaat.'
'Sorry, maar ik...'

‘Geeft niet. Ga nu maar. En neem je bloemen mee, ik houd niet van herfstasters.’
‘Ik heb liever dat je me vertelt wat je dwarszit.’ Haar toon was veranderd. Snijdender, harder.
‘Ik kan je niet meer vertrouwen. Jij weet meer over de verdwijning van Jurriaan.’
‘Niet meer dan dat ik je verteld heb.’
‘Jij kunt niet weten dat hij dood is.’
‘Wat is weten?’
‘Weten is zien.’
‘Ik heb hem zien sterven. Is dat genoeg?’
‘Jij hebt hem zien sterven?’
‘Ja, niet in de zin zoals jij dat zo graag zou horen. Maar ik heb gezien, dat Jurriaan zo zwaar ziek was dat hij niet meer te redden was. Zijn lijden was ondraaglijk. Voor hem, maar ook voor mij en voor Bas. Begrijp je dat, Paula!’
‘Begrijpen wel. Maar begrijpen is iets anders dan weten.’
Ellen stond met een ruk op. ‘Als ik het dan maar weet!’, krijste ze. Met een bruusk gebaar griste ze de bloemen van het bed en keek Paula woedend aan. ‘Ik had jou hoger ingeschat, Paula van Es. Ik zag in jou een jonge, intelligente vrouw met wie ik een vriendschapsband op zou kunnen bouwen, maar blijkbaar heb ik me vergist.’ Ze smeet de enveloppe, die ze al die tijd in haar rechterhand hield geklemd, op bed en beet haar toe: ‘Jammer van de energie, die ik hierin heb gestoken, ik zal ze vertellen dat het feest niet doorgaat. Adieu!!’

De klap, waarmee de deur in het slot was gevallen, bracht Paula weer bij haar positieven. Ellen had de kamer ziedend van woede verlaten. Die zag ze niet zo snel meer terug. Ze staarde naar de bruine enveloppe voor haar, pakte hem op, trok de inhoud eruit en begon te lezen.

Lieve Ellen,

Bedankt voor je mooie brief. Het doet me goed te horen, dat het zo goed gaat met Bas. Ik heb diep respect voor je doorzettingsvermogen en ben er dan ook met jou van overtuigd dat het wel in orde zal komen met hem. Wat je verzoek betreft om te bemiddelen in een adoptieaanvraag voor je vriendin kan ik je geruststellen. Hoe zou ik zo een verzoek aan jou kunnen weigeren. Ik weet immers, dat jouw goedkeuring een garantie betekent voor een veilige toekomst van het kind. Stuur de aanvraagformulieren maar naar mij toe, dan zorg ik dat het in orde komt.

Liefs Barbara.

Na vijf minuten voor zich uit gestaard te hebben, legde Paula de brief naast haar op tafel. Een verloren kans, mijmerde ze. Maar wie de schoen past, trekt hem aan. Ellen voelde zich aangesproken, zoveel was zeker. Ze dacht na. Draaide de film terug vanaf haar eerste ontmoeting met de vrouw, die ze ooit tegenover Frank een schat had genoemd. Gedachten, die al eerder bij haar waren opgekomen, kwamen weer bovendrijven. Een moederdier, zover kan dat dus gaan….
Ze werd in haar gedachten onderbroken door de binnenkomst van Marit. Geschrokken keek ze haar geliefde aan. Ze besefte dat het uitstellen van deze boodschap geen zin zou hebben. Marit zou onmiddellijk door haar stemming heen prikken. Ze sloeg met haar hand op de rand van het bed. ‘Kom eens zitten Mar, ik moet je wat vertellen.’
‘Je mag naar huis?’
‘Misschien ja, maar eerst wat anders…’

Marit keek haar woedend aan. ‘Ik wil dat je je excuses aanbiedt tegenover haar.’

'Onzin, Marit. Ik ga niet door het stof voor dat mens.'
'Voor ons kind!'
'En als straks blijkt, dat zij de hand heeft gehad in de dood van Jurriaan?'
'Dan maar.'
'Niets dan maar! Ik verdenk die vrouw van moord. Ik kan deze gunst niet aannemen van een verdachte, begrijp dat dan toch.'
'En als straks het tegendeel blijkt?'
'Dan vraag ik of ze me hier houden, of ze een versnelde euthanasie willen toepassen.'
Marit keek haar geschrokken aan. 'Ben je er zo van overtuigd, Paula?'
'Wat haar man betreft, ja. Zij heeft hem vermoord, al zal ze dat zelf nooit zo uitleggen.'
'Wat bedoel je in godsnaam?'
'Ze zal zeggen dat ze hem uit zijn lijden heeft verlost. Dat het een daad van mededogen is geweest. Maar wat ze bedoelt, is dat ze zichzelf en haar zoon heeft willen sparen.'
'Sparen waarvoor?'
'Jurriaan stond op het punt iets wereldkundig te maken dat hun leven zou veranderen in een nachtmerrie.'
Marit ging staan. Ze keek haar vriendin verbaasd aan. 'Voor een nachtmerrie?'
'Voor een nachtmerrie, ja. Meer vertel ik nog niet. Niet eerder dan dat ik hierover uitvoerig met Frank heb gesproken.'
Marit liep naar het raam. Paula zag aan haar houding dat ze teleurgesteld was.
'Het spijt me, Marit.'
'Het is goed Paultje, ik begrijp je wel. Ik bedoel, zo zou ik het ook niet willen.'
'Misschien....'
'Nee, geen misschien, Paula. Voorlopig geen misschien. Zorg eerst maar dat je weer veilig thuiskomt.'

‘Veilig thuiskomt?’
Marit draaide zich om. Nu zag Paula dat ze teleurstelling had verward met angst.
‘Begrijp je dat dan niet? Ellen weet dat je haar verdenkt. Vanaf nu vorm je een bedreiging voor haar.’
Paula wachtte. Ze kende Marits angst. Meerdere keren al had ze erop gezinspeeld, dat ze graag zou zien dat ze het politievak de rug zou toekeren, maar daar peinsde ze niet over. Zelf had ze nog geen seconde stilgestaan bij wat Marit suggereerde. En dat was ze nu ook nog niet van plan. Angst was een slechte raadgever. Ze ging rechter op in bed zitten en keek Marit glimlachend aan. ‘We zijn voor eerste kerstdag uitgenodigd bij Frank en Eline. Eline schijnt fantastisch te kunnen koken. Je denkt toch zeker niet, dat ik me zo’n buitenkansje laat ontnemen door ene mevrouw Veldhoven?’
Marit kon er niet om lachen.

22

'Wordt er al gebouwd aan de nieuwe bioscoop, Jacob?' Benders reikte onder het stellen van deze vraag Jacobs' gevraagde berenburger aan en keek hem belangstellend aan. Sinds hun laatste gesprek hierover had hij Femkes' vriend niet meer gesproken. Z'n eerdere vooroordelen tegenover de historicus waren onterecht gebleken. Jacob van Loon was een man naar z'n hart. Strijdbaar, realistisch en niet te benauwd waar nodig de confrontatie aan te gaan. Van Femke had hij al gehoord, dat hij een stevige aanvaring met de wethouder van cultuurzaken had gehad. Zijn eis om de bouw van de nieuwe bioscoop uit te stellen was zonder enige vorm van discussie van tafel geveegd. Jacob was ziedend geweest en had de wethouder publiekelijk een laffe hond genoemd. Een hond, die tegen beloning bereid was zijn pootje te geven. De rel na deze uitspraak werd mede gevoed door de arrestatie van Paul Mulder. De aantijging tegen de aannemer kwam voor Jacob op een gunstig moment. De publieke opinie werkte nu in zijn voordeel. Hoewel er nog niets was bewezen, werd er door de media toch op gezinspeeld dat Mulder steekpenningen zou hebben betaald voor het verkrijgen van diverse opdrachten. "Van Loons uitspraak bezijden de waarheid?", stond er zelfs te lezen in de plaatselijke krant. Maar van uitstel om te gaan bouwen was nog geen sprake.
Jacob schudde misnoegd z'n rossige hoofd. 'Maandag 6 januari gaat de eerste paal de grond in. Geef ik u te raden wie deze historische gebeurtenis mag verrichten.'
'Van Walzum?'
Jacob nipte aan z'n berenburger en knikte. 'U mag nooit meer raden', zei hij grimmig. 'Onze wethouder van cultuur, de heer Van Walzum, valt de eer te beurt onze geschiedschrijving te verpulveren door het slaan van een betonnen paal. Voorgoed,

dan wel te verstaan.'
'Het is nog geen 6 januari, Jacob.'
Hij schudde z'n hoofd. 'De tijd, die ons rest, is tekort om langs de officiële weg nog iets te bereiken.'
'We zijn van plan het bouwterrein te bezetten', zei Femke nu. 'En ik ga ook mee.'
Benders keek naar z'n dochter. Tegenspraak was zinloos, wist hij. In gedachten zag hij hoe straks zijn collega's met geweld het bouwterrein zouden ontruimen. Hoe zijn dochter bij haar haren zou worden weggesleept, zich verzette en wellicht zou worden gearresteerd op verdenking van het verstoren van de openbare orde. Hij keek weer naar Jacob. 'Hoe hebben jullie dat in je hoofd Jacob, zo'n bezetting?'
Jacob lachte. 'Ik denk niet dat het verstandig is tegenover u uit de school te klappen. Maar wees gerust, wij gebruiken geen geweld. Het wordt, wat ons betreft, een vreedzame demonstratie.'
'Er komen ongeveer tweehonderd mensen', nam Femke weer over.
'Net zoveel palen als er de grond ingaan', vervolgde Jacob grijnzend.
Benders keek hem aan. Hij schrok van zijn eigen gedachten. Zijn dochter vastgeketend aan een heipaal? Zat het dan zo diep, haar liefde voor deze rebelse historicus? Moest hij zijn kind zonder enige vorm van protest overleveren aan de grillen van een bevlogen historicus?
'Wat is er, pa? Wat kijk je benauwd. Je denkt toch niet, dat Jacob me zover krijgt dat ik me met paal en al de grond in laat heien?'
Benders schudde z'n hoofd en probeerde te lachen. 'Nog een borrel, Jacob?', vroeg hij zo laconiek mogelijk.
Jacob knikte en stak z'n hand op naar Joris, die net kwam binnenlopen.
'Doe mij er ook maar één, pa', zei het somber. 'Dat kan ik

wel gebruiken.'
Benders keek z'n zoon vragend aan. 'Wat is het probleem?'
'Ik heb verdomme een joch van twaalf toegewezen gekregen. Een kind nog. Weinig kans dat dat de moordenaar is.'
'Kinderen zijn anders goede waarnemers', doceerde Benders. Hij schonk Joris zijn berenburger. 'Die jongen bezorgt nu nog de kranten', vervolgde hij. 'Wellicht is hem die dag iets opgevallen.'
Joris trok z'n schouder op. 'Joost Bennekom heeft iemand van tweeëndertig. Die knaap heeft al een keer vast gezeten voor mishandeling, dat lijkt me interessanter.'
Mij ook, dacht Benders, maar hij zei: 'Jij hebt een getuige die naar de moordenaar kan leiden, dat is ook interessant.'

*

In het kantoor van Benders zaten acht leerlingen van de politieacademie met strakke gezichten zwijgend voor zich uit te staren. Wegens ziekte was er één afwezig. Van Steenbergen had ze zojuist gewezen op het belang van de verhoren. Dat die niet moesten worden gezien als een spannend avontuur. Dat de jonge heren en dames die niet moesten zien als een verzetje om uit de dagelijkse sleur van hun schoolse bestaan te breken. Benders had heimelijk de veranderingen in hun gelaatsuitdrukkingen waargenomen. De uitbundige stemming, waarin ze het bureau waren binnengekomen, was door de donderspeech van hun mentor veranderd in een ernstig stilzwijgen. Van Steenbergen had zijn doel bereikt. Het natuurlijke overwicht van de besnorde nestor had hierin bijgedragen. 'Goed', vervolgde Van Steenbergen, 'dan geef ik nu het woord aan de heer Benders. Hij zal jullie vertellen waar het exact omgaat.'
Benders knikte hem dankbaar toe. Hij behoefde de aandacht van deze aspiranten niet meer af te dwingen. De concentratie was van hun gezichten af te lezen. In korte bewoordingen schet-

ste hij de situatie. Hij vertelde dat de krantenbezorgers behoorden tot een groep van mensen, die op de hoogte was van de vluchtweg via de loopplanken over de sloot. 'Kerndoel is om erachter te komen in hoeverre de krantenbezorgers zich de situatie ter plaatse kunnen herinneren. Voor de meeste van hen is het al weer enige tijd geleden, dat ze deze wijk hebben gelopen. Het is dan ook van belang te letten op hun reacties. Moeten ze bijvoorbeeld diep in hun geheugen graven om zich de loopplanken over de sloot te herinneren, dan kun je aannemen dat ze niets met de zaak te maken hebben, of het moet duidelijk zijn dat ze hun onwetendheid spelen. Ook is het van belang te vragen of ze zich de aanwezigheid van een hond, een Schotse collie kunnen herinneren. Hier is het ook weer van belang goed te letten op hun reacties. Het vermoeden bestaat namelijk dat de hond de dader kent. Gezien de hoeveelheid bloed, die is aangetroffen op de vacht, zijn we ervan uitgegaan dat de hond tegen de dader is opgesprongen, al dan niet in kwade zin. Waar jullie in dat geval dus op moeten letten is een eventuele schrikreactie.'
Er ging een hand omhoog. Een meisje, Benders schatte haar hooguit achttien, vroeg of het ook bekend was hoe oud de Schotse collie was.
Benders knikte. 'Dat is een goeie vraag, ja. De collie is vier jaar. Dat deze hond een bekende van de dader zou kunnen zijn, geldt dus ook voor deze vier jaar. Niettemin kunnen jullie deze vraag aan ieder persoon voorleggen. De eigenaar van de boerderij heeft z'n leven lang al Schotse collies gehad.'
Er ging nog een hand omhoog. Een jongen, ook van rond de achttien, vroeg of het was toegestaan de ondervraagde onder druk te zetten. Er steeg een aarzelend gelach op. Benders vroeg hem wat hij bedoelde met "onder druk".
'Met de vuisten op tafel slaan, bijvoorbeeld', zei de jongen.
Benders keek hem aan. Een branieachtige macho van het type, op wie het korps niet zat te wachten. Hij dacht na over zijn

reactie. 'Onder geen beding wordt er hier met vuisten op tafel geslagen', antwoordde hij tenslotte.
'En waarom niet?', was de verwachte tegenvraag.
'Onze tafels zijn daar niet op berekend.' De lachsalvo, die daar op volgde, werkte bevrijdend. De spanning leek gebroken. Er werden nog meerdere vragen gesteld. Het viel Benders op, dat de meeste vragen betrekking hadden op het tijdstip van de moord. Het was dan weliswaar geen klaarlichte dag, maar de kans om op dat tijdstip te worden gezien was toch groter dan dat het middernacht zou zijn geweest. Benders beaamde dit. Zelf had hij dit ook opvallend genoemd.
Na afloop van de bijeenkomst nam hij Van Steenbergen nog even apart en verzocht hem extra alert te zijn bij de ondervraging van Geert Voortman. 'De man is al eens vervolgd wegens mishandeling van een vrouw', verklaarde hij.
Van Steenbergen knikte. 'Dan neem ik die wel', zei hij grijnzend. 'Ik weet exact wat de tafels kunnen hebben.'

Zodra de laatste agent in wording zijn kantoor had verlaten, besloot Benders zijn antwoordapparaat af te luisteren. Het eerste bericht kwam van Paula. De toon in haar verzoek hem terug te bellen liet aan duidelijkheid niets te wensen over. Het klonk dringend, gejaagd zelfs. De boodschap, die daarop volgde, kwam van Tilders. Het was een antwoord op een eerder verzonden fax, waarin hij de officier had gemeld naar het lichaam van Jurriaan Veldhoven te willen dreggen. Tilders had geen bezwaar. Hij voegde er nog aan toe, dat de zaak Mulder vermoedelijk op een fiasco zou uitdraaien. 'Als Veldhoven niet op korte termijn boven water komt, moeten we Mulder wegens gebrek aan bewijs laten gaan', klonk het teleurgesteld. Benders zuchtte knikkend. 'Dat is nu even niet mijn probleem', mompelde hij. Hij keek op z'n horloge. Half twaalf. Eerst Paula. Hij hoopte dat ze hem ging vertellen dat ze naar huis mocht. Hoewel, zo had ze niet geklonken. Hij toetste haar nummer

in en keek naar buiten. Alsof daar het antwoord vandaan moest komen. De zon deed zijn ogen knipperen, zodat hij z'n hoofd moest afwenden.
'Met Paula.'
'Paula met mij, met Frank, mag je...'
'Ik wil dat je hier naartoe komt, Frank', onderbrak ze. 'Ik wil dat je onmiddellijk naar het ziekenhuis komt. Ik moet met je praten.'
'Dat kan nu nog niet. Ze zijn beneden begonnen met de verhoren. Ik kan daar niet zomaar bij weglopen.'
'Welke verhoren?'
'De krantenbezorgers. We zouden vandaag de krantenbezorgers verhoren.'
'Wanneer kun je daar dan weg?'
Hij keek op z'n horloge. 'Dat wordt niet eerder dan vanmiddag om een uur of drie.'
'Shit!!'
'Wat dan, Paula? Wat is er dan zo belangrijk?'
'Wil jij iets voor me doen?'
'Zeg het maar.'
'Wil jij informeren of Bas de dag na de moord op Evelien naar school is geweest?'
'Bas Veldhoven?'
'Bas Veldhoven, ja.'
'Jezus, Paula wat haal jij nou in je hoofd?'
'Geen vragen meer, Frank. Ik wil graag zo snel mogelijk een antwoord.'
Ze had opgehangen. Benders staarde niet-begrijpend voor zich uit. Toen pakte hij het telefoonboek. "Zo snel mogelijk", had Paula gezegd. Na drie doorverwijzingen had hij de juiste man. Bas was de donderdag en vrijdag na de moord op Evelien niet op school verschenen. Hij was ziek gemeld. Hij toetste onmiddellijk het nummer van Paula weer in.
'Hij was ziek gemeld.'

‘Dacht ik al.’
‘Hoezo, dacht ik al?’
‘Wacht even, Frank.’ Er volgde een stilte. Hij hoorde stemmen. Seconden later was ze er weer.
‘Dat was de dokter, ik mag overmorgen naar huis.’
‘Fantastisch Paula, maar hoezo, dacht ik al.’
‘Voorgevoel, maar daar hebben we het vanmiddag nog over. Ik ga nu Marit bellen.’

Benders hing zuchtend op. Er werd op de deur geklopt. Zonder op antwoord te wachten stapte Van Steenbergen binnen, gevolgd door Joris met een knaap van rond de twaalf aan zijn hand. Joris pakte een stoel en schoof deze vlak voor Benders’ bureau. ‘Ga maar zitten, Bob’, zei Joris vaderlijk. Hij duwde de jongen zacht dwingend richting stoel. Bob nam aarzelend plaats en keek Benders verlegen aan. De jongen leek duidelijk onder de indruk van het gebeuren. Z’n wangen waren felrood gekleurd en hij draaide onrustig heen en weer op de stoel.
‘Vertel maar aan meneer Benders wat je ons ook hebt verteld, Bob’, zei Van Steenbergen. ‘Over die woensdag, toen je samen met je vriend de krantenwijk liep.’ De jongen keek met grote ogen van Benders naar Van Steenbergen, alsof hij niet begreep wat Van Steenbergen van hem verlangde.
‘Dus jij hebt een krantenwijk, Bob?’, vroeg Benders belangstellend.
De jongen knikte heftig. ‘Het weekblad van West-Friesland, elke woensdag, soms helpt Bas me, als zijn moeder dat goed vindt.’
‘Z’n vriendje heet Bas Veldhoven, pa’, vulde Joris aan.
Benders staarde z’n zoon verbijsterd aan. ‘Bas Veldhoven?’
Joris knikte. Vervolgens keek Benders naar Van Steenbergen, maar hij knikte ook. ‘Bas hielp Bob die woensdagmiddag ook’, zei hij kalm. ‘Nietwaar Bob?’
Benders zag de jongen knikken alsof z’n leven er vanaf hing.

'Stiekem', zei hij luid. 'Hij mocht eigenlijk niet, maar z'n moeder was toch niet thuis, zei Bas.'
'Hoe laat zijn jullie meestal klaar met de krantenwijk, Bob?', vroeg Joris.
'Meestal voor het eten. Zes uur of zo.'
'Dan gaan jullie naar huis.'
'Ja. Bas brengt dan de laatste krant bij de boerderij, soms ga ik dan nog even mee om met de hond te spelen, stokkies gooien en zo, maar toen niet, toen was het al donker.'
Er viel een stilte. Benders keek beurtelings van Joris naar Van Steenbergen. Hij keek de krantenjongen aan. "Maar toen was het al donker", had hij zojuist gezegd. Rond zes uur. Het tijdstip van de moord was rond zeven uur. Opeens voer er een schok door hem heen. Hij herinnerde zich plotseling de vreemde vraag van Paula. Bas hielp z'n vriend meerdere woensdagen met de krantenwijk. Als zijn moeder het tenminste goed vond. Hij dacht terug aan de middag toen hij bij Ellen was. Toen had ze het hem verboden. Maar daarvoor, de woensdagen voor de moord kon hij daar heel goed zijn geweest. De kans, dat hij z'n vader de flat heeft zien ingaan met Evelien Mulder was dus niet ondenkbaar. Dat kon betekenen dat hij met dit verhaal naar z'n moeder was gegaan. Terwijl......
'Vertel meneer Benders eens wie Bas die avond heeft gezien, Bob', onderbrak Van Steenbergen, alsof hij Benders' gedachten had geraden.
De jongen keek vragend naar Van Steenbergen.
'Toen Bas zo boos werd', hielp Joris.
'Oh dat.' Hij keek weer naar Benders. 'Nadat we de hoek van de laatste flat om kwamen rijden, zag hij z'n vader daar naar binnen gaan. Bas werd toen heel kwaad. Ook op mij. Hij zei dat ik niet moest denken, dat hij mij de volgende keer weer ging helpen. Hij racete toen met zijn fiets weg het weiland over.'
'Wist je ook waarom Bas zo boos werd?', vroeg Benders.

'Nee, maar Bas is zo. Hij kan plotseling zomaar heel erg boos worden.'
'Heeft hij daar zijn vader wel meer gezien?'
'Ja, de week daarvoor ook, met een vrouw.' De jongen lachte verlegen. 'Dat teringwijf, noemde Bas haar.'

*

Nadat Joris, Van Steenbergen en de krantenjongen zijn kantoor hadden verlaten, was Benders in gedachten verzonken achter zijn bureau blijven zitten. Voor hem lag een blad, dat hij had neergelegd om aantekeningen te maken. Het was onbeschreven gebleven. Daarvoor in de plaats stonden er wat losse nietszeggende schetsjes van een politieman, die voor zichzelf een verbijsterend scenario in zijn kop had geschetst. Een scenario, dat even logisch als bizar had geklonken. Het klopte allemaal. Zelfs het waarom was voor hem invoelbaar geweest. Toch wilde hij er niet aan, toch wilde hij dat het allemaal anders was, aanvaardbaarder, bevredigender. Hij bedacht dat, als dit waar was, hij geen politieman meer wilde zijn. Hij stond op om naar de kapstok te lopen, om zijn jas aan te trekken. Hij moest het zeker weten. Of hij wilde of niet.

Toen hij voor de loopplanken stond, die hem over de sloot naar het weiland moesten brengen, hoorde Benders vanuit de vijftig meter verder gelegen boerderij het vrolijke geblaf van een hond. Even later zag hij hoe het beest zijn richting kwam oplopen. De door drie houten balken geslagen brug bleek allesbehalve betrouwbaar. In het midden boog het hout vervaarlijk door en Benders besefte dat deze balken niet op zijn vijfennegentig kilo waren berekend. Hij slaakte dan ook een zucht van verlichting zodra hij de overkant had bereikt. De Schotse collie stond hem kwispelstaartend op te wachten. Hij liep met de hond aan zijn zijde richting het boerderijtje. Het weiland

was drassig en hij hoorde bij elke stap hoe zijn schoenen zich in de vette kleigrond vastzogen. Hij had dit kunnen weten en eraan moeten denken om laarzen aan te trekken, besefte hij nu. In deze tijd van het jaar was de waterstand hoog en liepen deze laaggelegen weilanden zelfs het risico om volledig onder te lopen. Hij liep moeizaam door. Af en toe stond hij stil en draaide zich half om, waarop de hond zijn voorbeeld volgde. Het zicht op de ingang van de galerijflat was goed, maar Benders vroeg zich af hoe dat in de avond zou zijn. Hoe duidelijk vanuit deze positie alles was waar te nemen. Om dit goed te kunnen beoordelen moest hij 's avonds terugkomen. Maar wellicht was dat niet eens meer nodig.
Toen hij bij de boerderij was aangekomen, viel het hem op hoe stil het er was. Ondanks de toch geringe afstand van het stadsgewoel, heerste er rondom dit minstens honderd jaar oude boerderijtje een serene stilte. Op het verhoogde erf, geplaveid met kleine gele straatklinkertjes stond een oude Volvo. De staat, waarin die verkeerde, maakte hem duidelijk dat het lang moest zijn geleden dat dit vehikel op de weg was. Benders keek om zich heen. Hij besefte, dat hij aan de achterkant van de boerderij stond. Aan de lichte kleur van het voegwerk kon hij zien, dat de gevel nog niet zo lang geleden moest zijn gerestaureerd. Geheel in stijl staken de messcherp gesneden voegen enkele tienden van millimeters buiten de gevel. Het was duidelijk, dat de eigenaar er alles aan was gelegen dit monument voor het nageslacht veilig te stellen. Hij liep voor de Volvo langs naar de westgevel om daar via een grindpad de voorzijde te bereiken. De hond liep voor hem uit, alsof hij hem de weg naar de voordeur wilde wijzen. Luid blaffend bleef hij plotseling kwispelstaartend voor de deur staan. Naast de deur hing een smeedijzeren uithangbord. In witte letters stond hierop geschilderd: W. SANTING. Benders trok aan een bel, maar hoorde nauwelijks geklingel. Hij herinnerde zich, dat Teulings had gezegd dat Santing zo doof als een kwartel was en hij

vroeg zich af hoe hij zijn aanwezigheid kenbaar moest maken. Een moment later zag hij hoe de hond een uit de brievenbus hangend touwtje in zijn bek nam. Verbaasd keek hij toe hoe de deur zich opende. Benders stapte aarzelend een donker halletje in en struikelde prompt over een kat. Het beest vloog luid miauwend langs hem heen. Geschrokken zocht hij naar een lichtschakelaar, maar vond er geen. Enkele seconden later flitste het licht aan. Voor hem stond een man, die qua lengte nauwelijks voor hem onder deed. Benders knikte en keek de man verontschuldigend aan. 'Goedemiddag, neemt u mij niet kwalijk dat ik zomaar.....'
De man onderbrak hem door met beide handen naar z'n oren te wijzen.
'U bent meneer Santing!!?', riep Benders daarna luid.
Santing knikte, waarop Benders na het tonen van zijn legitimatie vertelde over het doel van dit onverwachte bezoek. De man draaide zich zonder een woord te zeggen om, waarna Benders hem volgde naar een vertrek dat als woonkeuken dienst deed. Hij zag door het raam voor het keukenblok de oude Volvo weer staan. Vanuit datzelfde raam overzag hij het weiland. Vanuit deze positie leek het weiland direct te grenzen aan de galerijflat. Benders begreep dat dit te maken moest hebben met het oplopend talud aan de slootkant.
'Ik heb al eerder bezoek van de politie gehad', zei Santing, terwijl hij naar een stoel aan de keukentafel wees. De man klonk hees en Benders vermoedde dat hij in een slechte conditie verkeerde. Z'n bleke gelaat vertoonde de trekken van iemand, die in zijn laatste levensfase verkeerde. Benders ging zitten en knikte. 'Dat is mijn collega, de heer Teulings, geweest, ja.'
'Wilt u koffie?'
Benders schudde z'n hoofd.
'Er is hier al eerder een man van de politie geweest', zei Santing weer.

Benders begreep dat hij vele malen luider zou moeten praten om zich verstaanbaar te maken. Hij boog zich voorover om dichter in het gehoorveld van Santing te komen en herhaalde luid dat hij hiervan op de hoogte was.
Santing trok z'n schouders op. 'Ik was buiten met de hond.'
'Ja, ja,' zei Benders, 'maar nu wilde ik u nog een paar vragen stellen in verband met de moord in de flat daar aan de overkant!!' Hij knikte daarbij naar het raam. 'Het is niet alleen vast komen te staan, dat de moordenaar over uw land moet zijn gevlucht, maar we weten nu ook vrijwel zeker dat de moordenaar over uw weiland naar de flat is gelopen om zijn daad te plegen!'
Santing knikte en bleef de inspecteur onbewogen aankijken. Het leek Benders of deze mededeling de man totaal niet raakte. Het smalle, bleke gezicht bleef even uitdrukkingloos als voor deze mededeling. Benders bedacht dat hij de man net zo goed had kunnen zeggen dat vast was komen staan, dat de moordenaar na zijn daad hier nog was langs geweest om koffie te drinken. Hij zou er even onbewogen onder zijn gebleven. Teulings had Santings' verwardheid bepaald niet overdreven.
'U hebt mijn collega al laten weten die woensdagavond niets te hebben gehoord of gezien. Klopt dat?'
'Ik heb Roxy geborsteld, er zat bloed aan zijn vacht.'
'Maar u hebt niets gezien of gehoord?'
'Er is die dag geen krant bezorgd. De jongen heeft die dag geen krant aan de hond gegeven.'
Benders dacht razendsnel na. Zonder vraag had hij antwoord gekregen op wat hem zo bezig had gehouden. De krantenjongen had dus de waarheid verteld. Bas was woedend geweest. In al die woede had hij de krant vergeten. En God mocht weten wat er in al die woede nog meer was gebeurd.
Benders keek weer naar de man. Hij herinnerde zich van Teulings dat Santings' zoon had gezegd het niet langer verantwoord te

vinden, dat zijn vader hier alleen bleef wonen. Zijn zoon had gelijk, vond hij. Dit was onverantwoord. Hij keek om zich heen. Toch was van verwaarlozing geen sprake. Hij dacht na. Het moest haast wel zo zijn dat hier regelmatig iemand over de vloer kwam om schoon te houden. 'Komt uw zoon hier regelmatig, meneer Santing?'
De man keek hem met doffe ogen aan. Benders kreeg het gevoel dat er een gevoelige snaar was geraakt. Iets in de uitdrukking van de ogen zei hem, dat Santing verdrietig was. Dat hij wel zou willen huilen, maar dat hij niet meer bij machte was zijn tranen op te roepen.
Benders wilde opstappen. Hij begreep dat zijn aanwezigheid de man vermoeide. En bovendien, hij zou niets zinnigs meer zeggen. Maar iets in hem zei dat hij tekort zou schieten als hij deze man in deze toestand zou achterlaten. Dat hij dit niet kon maken. 'Heeft uw zoon telefoon?', vroeg hij luid.
De man bleef zwijgend voor zich uit kijken. 'De jongen komt nooit meer langs', zei hij hees.
'Waar hebt u uw telefoon?'
'De jongen belde op en ging weg. Roxy had bloed in zijn vacht.'
Benders keek de man bevreemd aan. "De jongen belde op en ging weg", herhaalde hij in gedachten. Het duurde even, voordat hij de strekking hiervan dacht te begrijpen. Toen hapte hij naar adem. Zo kon het dus zijn gebeurd. Verdoofd bleef hij de man aanstaren, alsof hem zojuist een mokerslag was toegediend. Dan, zonder zich bewust te zijn van wat hij deed, sloeg Benders plotseling met zijn vuist op tafel. 'Waar kan ik u zoon bereiken, meneer Santing!!?'
Santing keek hem zichtbaar geschrokken aan en wees Benders naar een deur achter hem. Hij stond op, opende de deur en liep een aangrenzend vertrek in. Op een cilinderbureau zag hij het toestel. Hij pakte de naastgelegen telefoonklapper, toetste het nummer van W. Santing in en had geluk. Wim Santing beloofde onmiddellijk naar zijn ouderlijk huis te komen.

Het was half twee toen Benders de voordeur van Santings' boerderij achter zich dichttrok. Het gevoel waarmee stemde hem somber. Bas Veldhoven, veertien jaar. De kans was groot dat hij die woensdagavond in de boerderij was geweest. "Hij kwam hier wel meer", had Wim Santing gezegd. "Een leuk en spontaan joch. Een beetje brutaal, maar dat mag ik wel." Benders keek naar de flat aan de overzijde. Hij zag een man en een vrouw de ingang uitkomen. Hij wist nu zeker dat het goed mogelijk moest zijn vanaf deze afstand personen te herkennen. Langzaam stak hij het weiland weer over en overdacht wat hem zojuist bekend was geworden. Als getuige was de oude Santing onbetrouwbaar, maar zijn zoon was heel stellig in zijn verklaring geweest dat er een vleesmes van vader al enige weken zoek was. "Ik kom hier elke zaterdag, dan werk ik het huis door en doe inkopen voor vader, ik haal ook pens voor de hond, dat snij ik hier in stukken om het vervolgens in te vriezen. En ja, nu u het zo vraagt, de zaterdag na die woensdag dat zou wel eens kunnen kloppen." Toch, ondanks de theorie die Benders hem had voorgelegd, hield Wim het voor onmogelijk dat die jongen er iets mee te maken zou kunnen hebben. "Mijn vader is dementerende, het zou goed kunnen dat hij het mes op een onmogelijke plaats heeft weggelegd, dat het zomaar weer eens tevoorschijn komt." Maar de ondertoon van twijfel was Benders niet ontgaan. Ook tot hem moest het zijn doorgedrongen. Bij het afscheid had hij Benders veel wijsheid gewenst. Voorafgaande aan het feitelijke doel van zijn komst hadden ze een lang gesprek gehad met elkaar. Wim Santing was de enige zoon van William Santing. In weerwil van zijn vader had hij bedankt voor het boerenbestaan. Hij had gekozen voor een rechtenstudie en had sinds enkele jaren een eigen advocatenpraktijk. "Mijn vader is m'n grootste kameraad, meneer Benders", vertelde hij. "Het is voor mij moeilijk toe te moeten zien hoe hij aftakelt. Het was een krachtige persoonlijkheid. Zo krachtig, dat ik hem er vroeger wel eens om haatte. Ik ben ervan overtuigd dat hij zijn kanker van twaalf jaar geleden door pure wilskracht heeft overwonnen. Maar tegen de sluipende ziekte, die nu alle kracht uit zijn kop lijkt te slopen, is zelfs hij niet bestand, en dat doet pijn, want ik hou van die man. Met hem zal ik m'n grootste kameraad verliezen."

Die laatste zin had Benders aan het denken gezet. Het motief zou wel eens gezocht kunnen worden in de liefde, die Bas koesterde voor zijn vader. Die vrouw had een bedreiging gevormd. Als zijn vader zou kiezen voor die vrouw zou hij een kameraad kwijtraken. Wellicht was zijn vader de enige baken in zijn wankel bestaan. Was Jurriaan, anders dan zijn dominante moeder, de enige man van wie hij hield. Plotseling dacht hij terug aan de woede van zijn eigen zoon, nu anderhalf jaar geleden. Joris had hem toen geconfronteerd met het slippertje dat hij had gehad met een Poolse vrouw. De woede van Joris hierover was toen ook niet mis geweest. Hij had geleerd hoe hard zoiets erin kon hakken. Maar dan nog, moord, dertien messteken, dat bleef abnormaal. Maar de hele situatie was abnormaal. Abnormaal? Zijn gedachten werden onderbroken door een herinnering van enkele weken geleden. Tijdens zijn nachtelijke bezoek aan het ziekenhuis, waar Paula op intensive care lag, had hij een gesprek opgevangen tussen Ellen Veldhoven en een verpleger. Ellen had tegen de verpleger beweerd: hun impulsieve karakter maakt dat ze moeilijk in staat zijn kleine en grote problemen op een normale manier op te lossen. Ineens drong het tot hem door, dat Ellen het over haar eigen zoon had gehad. Dat was dus het gevoel geweest, dat al die tijd onbewust in zijn hoofd was blijven hangen. Dat het destijds de omstandigheden waren geweest, die hem hadden belet hierop alert op te zijn. Ellen had, zodra ze hem gewaar was geworden, onmiddellijk haar gesprek beëindigd; dat wist hij nog.

Benders stond stil voor de sloot. Een eenzame reiger gleed geluidloos over het donkere water. Hij keek er lang naar. Daarna knoopte hij zijn jas dicht, trok z'n kraag omhoog en vervolgde vastbesloten zijn weg.

23

Paula van Es lag strak naar het plafond te staren. Hoewel Frank haar had verzekerd dat haar niets kon gebeuren, was ze toch gespannen. Ellen had er uiteindelijk in toegestemd om naar het ziekenhuis te komen. Ze had, zoals Frank haar had gezegd, haar verontschuldigingen aangeboden en Ellen gesmeekt naar haar toe te komen. Eerst had ze geweigerd, maar toen Paula liet weten dat het om Bas ging, was ze als een blad aan een boom omgedraaid. Paula had haar ervan weten te overtuigen dat het doen van mededelingen over de telefoon niet in het belang van de zaak zou zijn.
Wat Bas betrof, waren Frank en zij zeker van hun zaak. Hem op te pakken en onder druk te laten bekennen zou niet moeilijk zijn. Maar er was meer. Meer dat opgehelderd diende te worden. Ellen zou de onschuld van haar zoon verdedigen, zoals een leeuwin haar welpen zou verdedigen. Frank hield er rekening mee, dat Jurriaan hiervan het slachtoffer kon zijn geworden. Hij kon erachter zijn gekomen dat Bas zijn minnares had vermoord, waarna hij Ellen had laten weten hiermee naar de politie te zullen gaan. Paula kon zich vinden in deze theorie. Het paste in het beeld dat ze de afgelopen dagen van deze vrouw had gevormd. De vrouw die ooit een citaat van Reve aanhaalde. Een mens zonder zwakte is een monster. Dat was zij dus zelf, dat monster. Een monster in de gedaante van het liefhebbende moederdier. Zonder pardon doodde ze de man, die het waagde haar kind aan te geven. Maar verdomme, Bas, veertien jaar, hoe kon een jongen van veertien zo'n diepe haat koesteren tegen een vrouw, die de vriendin van zijn vader was? Zo diep, dat hij haar met zoveel geweld om het leven bracht. Toch moest het zo zijn gebeurd, hoe afschuwelijk het ook klonk.
Een openzwaaiende deur onderbrak haar gedachten. Ellen

stond breedlachend in de deuropening, ze had bloemen mee, witte chrysanten, die ze demonstratief in de hoogte hield. 'Zo goed, Paula?'
Paula knikte lachend en hoopte dat de stroefheid, waarmee ze dit deed, niet was opgevallen.
'Ga zitten Ellen, ik doe straks zelf de bloemen wel.' De chrysanten belandden op het voeteneind. Ellen boog zich over Paula heen. Haar kus leek een eeuw te duren. Paula had moeite de vochtige afdruk niet onmiddellijk van haar voorhoofd te vegen.
'Ik wil nogmaals zeggen dat het me spijt Ellen, van de vorige keer. Ik heb dat niet zo bedoeld.'
Ellen maakte met haar hand een gebaar. 'Laat maar,' zei ze, 'we hebben allemaal wel eens zo'n bui.'
'Het kwam door de inspecteur.'
'Door de inspecteur?'
'Meneer Benders. Hij mag jou niet, hij vertrouwt jou niet.'
'Ik heb daar nooit iets van gemerkt. Waarom zou de inspecteur mij niet vertrouwen?' Haar verbazing leek oprecht.
'Hij denkt, dat jij iets achter houdt, dat jij de waarheid niet spreekt. Maar begrijp me goed Ellen, ik deel zijn mening absoluut niet. Toen jij die middag bij me kwam, was even daarvoor meneer Benders ook geweest. Hij gebood me dat ik me niet meer met jou mocht inlaten. Dat jij voor hem als een verdachte gold.'
'Die man is krankzinnig.'
Jij bent krankzinnig, dacht Paula. 'Dat is ook zo, hij is volslagen doorgedraaid. Zijn scoringsdrift heeft onverantwoorde vormen aangenomen. Wat hij gisteravond beweerde, slaat werkelijk alles. Daarvoor wilde ik je ook waarschuwen, wat hij wil is absurd, daar heeft hij het recht ook niet toe.'
Ellen schoof haar stoel dichter naar het bed en keek Paula doordringend aan. 'Wat wil die man dan?', vroeg ze scherp.
Paula ging wat rechter zitten en liet haar hand buiten het bed glijden, waarop ze met een kort gebaar vroeg om haar hand

vast te houden. Ellen beantwoordde aarzelend aan dit verzoek. Het viel Paula op hoe klam haar hand aanvoelde. Ellen stond doodsangsten uit. Frank had gelijk. Ze zou straks, als een in het nauw gedreven kat, haar dodensprong maken.
'Inspecteur Benders wil je zoon arresteren op verdenking van moord op Evelien Mulder.'
Met een ruk trok Ellen haar hand terug en stond op. 'Hij wil wat!!', krijste ze.
'Ga zitten!', gebood Paula hard. 'Hij heeft geen schijn van kans. Luister goed. Ik vertel je dit om je te waarschuwen, maar je hebt dit nooit van mij gehoord. Zorg ervoor, dat Bas ergens wordt ondergebracht, ik bedoel dat hij morgen niet van school wordt geplukt en zorg voor een goeie advocaat.'
Ellen was weer gaan zitten. Paula zag hoe ze rilde en hoe haar pupillen zich hadden verwijd.
'Het is in je eigen belang, dat je nu kalm blijft, Ellen', zei ze dwingend.
'Maar waarop baseert die man dat krankzinnige idee?'
'Hij zegt dat hij een getuige heeft.'
'Een getuige van wat?'
Paula hief bezwerend haar hand op. 'Rustig, Ellen', zei ze kalm. 'Tegenover de flat, waar Evelien is vermoord, staat een boerderij. Daar woont een oude alleenstaande, invalide man van in de tachtig. Het verhaal gaat dat Bas daar wekelijks een krant bezorgt. Bas zou tegenover deze man hebben beweerd, dat hij Evelien heeft vermoord. Volgens Benders zou deze man een gedetailleerde verklaring hebben afgelegd. Wat natuurlijk ongeloofwaardig klinkt, want waarom zou deze man zo lang hebben gewacht met het afleggen van een zo belastende verklaring.'
Ellen knikte terwijl haar ogen onrustig knipperden. 'Waarom vertel je me dit, Paula?', vroeg ze.
'Waarom denk je?'
'Ik weet het niet.'

‘Als ik niet oprecht had getwijfeld aan het verhaal van de inspecteur, had ik je dit niet verteld.’
‘Je had het ook niet kunnen vertellen.’
Paula zweeg, hield haar hoofd omlaag en slikte. ‘Goed’, zei ze zacht. ‘Ik zal eerlijk tegen je zijn. Jij bent onze laatste hoop, ik bedoel.....die adoptie.’ Ze slikte nogmaals en keek haar smekend aan. ‘Begrijp je dat, Ellen? Jij bent onze laatste hoop.’

24

Het was half elf. De boerderij was nu zes uur omsingeld. Benders' overtuiging, dat ze zou komen, wankelde. Er stond een harde wind met windstoten. De mannen klaagden over kou en zeiden dat hij makkelijk lullen had daarbinnen. Dat hij goed moest begrijpen, dat ze niet van plan waren hier van eeuwigheid tot zaligheid te blijven blauwbekken. Benders was geïrriteerd geraakt. Hij had ze te verstaan gegeven dat ze niet zo moesten zeiken. Dat ze anders op konden rotten. Teulings had hem bemoedigend toegeknikt en zich laatdunkend uitgelaten over de patatgeneratie van tegenwoordig.
Maar Benders besefte ook, dat het lange wachten in deze snijdende kou het uiterste vergde van deze mannen. Toch had hij nauwelijks een andere keuze gehad. Wilde hij deze operatie tot een goed einde brengen, dan moest hij iedere toevalligheid uitsluiten. De posities, die de mannen hadden ingenomen, waren strategisch gezien de enige juiste. Hoewel hij verwachtte, dat ze vanaf de dijk zou komen, moest hij er toch rekening mee houden dat ze anders kon besluiten. Dat ze vanuit de flatzijde over de loopplanken haar weg naar de boerderij zou vinden.
Benders had weinig overredingskracht nodig gehad om de rechter-commissaris te overtuigen van de noodzaak van deze operatie. "Oneigenlijk of niet, Frank," had hij gezegd, "het is de kortste klap." Wim Santing had ook spontaan zijn medewerking verleend en zijn vader met de hond mee naar zijn huis genomen. Benders zuchtte. Er mocht niets fout gaan. Er zou niets fout gaan. Het enige belangrijke was, dat ze hun kalmte zouden bewaren.
Drie uur geleden was het alweer, dat hij het bericht had doorgekregen dat ze haar zoon had weggebracht naar een woning in Enkhuizen. Tot zover had ze de boodschap begrepen. Na

twintig minuten had ze Enkhuizen verlaten om vervolgens weer naar haar eigen woning te gaan.
Benders wierp weer een blik op zijn horloge, acht over half elf. Buiten hoorde hij dat er van de voorspelde windafname nog geen sprake was.
Eindelijk, om negen minuten over half elf, ging zijn telefoon.
'Ze verlaat nu haar woning en vertrekt in oostelijke richting.'
Van Raaltes stem klonk fluisterend, alsof hij angst had dat zijn stem door derden zou worden gehoord.
'Oké, volg haar niet. Wacht op instructies.'
Benders belde onmiddellijk de buitenwacht, schakelde daarna z'n mobiel uit en vroeg Teulings hetzelfde te doen.
'Ik ben nog niet seniel, Benders', zei hij geërgerd en gespannen.
Benders haalde diep adem en klemde zijn hand om de kolf van het pistool in de rechterzak van zijn jack. Nog één keer overzag hij het woonvertrek en knikte naar Teulings. Toen deed hij een stap achteruit en trok de deur van een trapkast tot op een enkele centimeter na dicht. Teulings klom in een nis, die ooit als bedstede had dienst gedaan. Er was alleen het licht van de televisie. Beide rechercheurs hielden zicht op een bewegingloze gestalte, die vanuit zijn rolstoel naar de televisie leek te staren. Een baseballpet was over zijn plastic hoofd getrokken. Naast hem, op een houten bijzettafel stond een leeg bierflesje, daarnaast een half gevuld glas. Het harde geluid van de televisie zou een argeloze bezoeker doen vermoeden, dat de kijker stokdoof moest zijn.
Benders keek er met gemengde gevoelens naar. Twee uur lang waren ze ermee bezig geweest. Teulings had geen detail over het hoofd gezien, zelfs een gehoorapparaat was in het plastic oor bevestigd. Alles was gegaan zoals Benders wilde dat het zou gaan. Tientallen keren had hij Teulings aan het touwtje van de voordeur laten trekken, opdat hij zich kon oefenen in het onderscheiden van dat ene geluid. Toch kwam de opera-

tie hem nu onwerkelijk voor. Alsof het een grap was. Een slechte grap, die hem zijn verdere leven zou blijven achtervolgen. Hij zou de geschiedenis ingaan als de inspecteur, die zijn manschappen liet doodvriezen. Doodvriezen omdat zijn haan zonodig koning moest kraaien, overdacht hij somber.
Hij vermande zich en keek op zijn horloge: kwart voor elf. Hooguit vijf minuten was de tijd die ze nodig zou hebben om hier te zijn. Het kon niet lang meer duren, het mocht niet lang meer duren. Het lange, geconcentreerde wachten begon zijn tol te eisen. De harde wind gierde nog steeds om de boerderij, en het begon hem moeite te kosten de afzonderlijke geluiden van elkaar te onderscheiden. Het rammelen van het pannendak, het klappen van de losgeraakte loodslabben tegen de schoorsteen, het ritselen van de papieren jaloezieën voor het zijraam, hij wilde het niet meer horen.
En toen, juist voor zijn gevoelens van onwerkelijkheid weer dreigden terug te keren, hoorde hij de bekende klik. De klik van een cilinderpal, wist hij onmiddellijk. Een seconde later gleed de gestalte van Ellen aan hem voorbij. Het pistool droeg ze met gestrekte armen voor zich uit. Ze was gewapend! Benders maakte zichzelf uit voor rund. Hiermee had hij rekening moeten houden. En waarom verdomme, had hij haar niet binnen horen komen!
De seconden, die Benders nodig had om zich van zijn verlamming te herstellen, zouden een levende Santing fataal zijn geweest. Drie gerichte kogels hadden zich al door zijn plastic kop geboord. Dan flitsten vanuit vier hoeken de duizend wattlampen aan. Gevangen in het licht zwiepte Ellen met haar wapen door de ruimte. Tot een hard uitgesproken "laat vallen!!" haar bewegingen blokkeerden. Aarzelend liet ze haar handen zakken. Benders zag haar twijfelen. Ze had voldoende tijd gehad om zich op zijn aanwezigheid te oriënteren. Hij zag het wapen weer stijgen. Nu stond hij voor de keuze te doen wat hij nooit eerder had gedaan. Waar hij nog niet eerder toe was gedwon-

gen. Hij moest schieten. Schieten om z'n eigen leven te sparen. Maar in plaats daarvan zei hij met een kalmte, waarvan hij later zou verklaren dat zelf niet begrepen te hebben: 'Ik zou dat niet doen, Ellen. Dit is zinloos. De boerderij is omsingeld. Denk aan je zoon, aan Bas. Als hij ooit een moeder nodig heeft, dan is dat nu.'
Seconden tikten weg. Eindelijk zakte haar arm. Hij deed een stap naar voren en stak z'n linkerhand naar haar uit. Heel even nog zag hij haar twijfel terugkomen, toen gaf ze zich over.
Teulings stapte uit zijn schuilplaats, hij zag lijkbleek. Het was vijf voor elf. Buiten was het stil geworden. De storm leek uitgeraasd.

EPILOOG

Op donderdagmorgen, drie dagen na haar aanhouding, verzocht Ellen Benders om naar het huis van bewaring te komen. "Alleen", had ze nadrukkelijk gesteld.
Hij had geen bedenktijd nodig gehad om daar in toe te stemmen en reed nu langs de met rijp bedekte polders naar Alkmaar. Buiten vroor het. Het weerbericht voorspelde een witte kerst. Hij had de verwarming in zijn auto op de hoogste stand gezet. Haar vraag had hem overvallen. Drie dagen had ze gezwegen. Zelfs de advocaat, die haar was toegewezen, had geen woord uit haar weten te krijgen. Hij vroeg zich af wat hem te wachten stond. Bas had bekend. Zijn kant van het verhaal was duidelijk. De jongen was idolaat van zijn vader, zijn angst hem kwijt te raken aan de hem onbekende vrouw had hem woedend gemaakt. Een woede, die voor hem niet was te beteugelen.
Benders had zich meerdere malen verweten niet alerter te hebben gereageerd op de eerder gedane uitspraak van Ellen: Hun impulsieve karakter maakt dat ze moeilijk in staat zijn kleine en grote problemen op een normale en gecontroleerde manier op te lossen. Ze had niet anders gedaan dan zich geëxcuseerd. Bas kon er niets aan doen, die jongen was nu eenmaal zo. Al die tijd had ze het geweten. Haar zoon had de minnares van haar man gedood en zij had het hem onmiddellijk vergeven.
Benders rilde, ondanks dat de temperatuur in zijn auto inmiddels behaaglijk was. Straks hoopte hij te horen wat er was gebeurd met Jurriaan. Het dreggen bij het gemaal had niets opgeleverd. Het uitkammen van de dijkwoning had ook niet het gewenste resultaat gegeven. Wel waren er bruikbare gegevens gevonden in verband met de fraudezaak. Uit de gevonden correspondentie was duidelijk geworden, dat Jurriaan in de jaren negentig steekpenningen van Mulder had ontvangen. Om welke

bedragen dat ging, werd niet helder. Maar uit diezelfde correspondentie was wel helder geworden, dat Veldhoven op deze voet niet verder wenste te gaan. In een schrijven van enkele maanden geleden had hij duidelijk gesteld dat hij op geen enkele wijze, in welke vorm dan ook, geschaad wenste te worden in zijn integriteit. Mocht hij in de toekomst redenen zien, die het tegendeel aantoonden, zou hij niet aarzelen de relatie met bouwbedrijf Mulder te verbreken. Duidelijke taal, die voor het fraudeonderzoek van belang konden zijn. Maar het was niet geweest, waar Benders naar zocht. Hij was ervan overtuigd dat Veldhovens vermissing met deze zaak niets had uit te staan.
Hij zette de aanjager van de verwarming weer op zijn laagste stand. De gedachte dat hij nu het huis van bewaring naderde, maakte hem onrustig. Hij vroeg zich af wat hem te wachten stond.

Ellen zat tegenover hem aan tafel. Ze leek jaren ouder. Van de wellevendheid, die hij zich herinnerde van hun eerste ontmoeting, was niets meer over. Ze leek gebroken.

'Hebt u kinderen, meneer Benders?' Met deze vraag begon ze haar verhaal. Na zijn bevestiging vertelde ze dat ook zij een zoon en een dochter had gehad. Benders begreep dat ze doelde op haar twee miskramen.
'Jurriaan was van plan ook het derde kind van mij af te nemen', vervolgde ze. 'Ja, meneer Benders, ik was op de hoogte van zijn plannen. Hij wilde scheiden. Hij wilde verder met Evelien. Vanaf dat moment haatte ik die vrouw. De vrouw, die de vader van mijn kind af wilde nemen. Ongewild moet ik deze haat op Bas hebben geprojecteerd. Het werd een dagelijks terugkerend onderwerp van discussie. Er sloop een sfeer van vijandigheid binnen ons gezin. Jurriaan was toen mijn Jurriaan al niet meer. Van de zachte, meegaande man die ik trouwde,

was weinig over. In niets herkende ik meer de mus, die ik liefhad. Ik hield van hem, zoals hij was. Onzeker, schuchter, voortdurend in tweestrijd met zichzelf. Steeds meer werd me duidelijk dat ik hem kwijt zou raken. Ik begon ook Bas hierop voor te bereiden. Stukje bij beetje probeerde ik hem vertrouwd te maken met het idee, dat zijn vader hem ging verlaten. Dat zijn vader voor een andere vrouw had gekozen.
Een inschattingsfout, besefte ik te laat. Toen ik hem die woensdagavond aantrof in zijn bebloede kleding, met het mes nog in zijn hand, realiseerde ik onmiddellijk wat er moest zijn gebeurd. "Ze is dood mam, nu kan papa weer bij ons komen wonen." Reacties blijken dan onvoorspelbaar. Ik kleedde hem zwijgend uit, dumpte zijn kleding in een vuilniszak en heb drie kwartier met hem onder de douche gestaan. Daarna maakte ik me sterk voor wat er komen zou. Wat er ook gebeurde, van mijn zoon zouden ze afblijven. Hij kon er niets aan doen.
Ik belde Jurriaan en zei hem dat zijn minnares was vermoord. Hij reageerde woedend. Ik zou het hebben gedaan. Ik zou in zijn optie de enige geweest kunnen zijn. De sleutel, die hij aan Bas had gegeven als teken dat hij dag en nacht een beroep op zijn vader zou mogen doen, was immers binnen mijn handbereik. Pas nadat ik hem had kunnen overtuigen dat niet ik maar Bas het had gedaan, bedaarde hij. Zijn woede sloeg over in een machteloos verdriet. Hij had me weer nodig. We spraken met elkaar af dat noch Bas noch ik van een op handen zijnde scheiding afwisten. We moesten immers elk motief uitsluiten. Maar Jurriaan bleek te zwak. Zijn tweestrijd mondde uit in een verkeerde keuze. Kunt u zich dat indenken, meneer Benders? Een vader, die z'n eigen zoon verraadt?'
Benders antwoordde niet. Hij bleef haar zwijgend aankijken. Paula had gelijk gehad, besefte hij. Die vrouw was krankzinnig. 'Hij vond dat Bas hiervoor gestraft moest worden', vervolgde ze. 'Dat dit beter voor ons allemaal zou zijn. Ik besefte wat dit betekende. Ik besefte dat, wanneer ik hierin niet zou toe-

stemmen, geen rechter mij ooit nog het voogdijschap over mijn zoon zou geven. Ik zag nog één uitweg.'
Ze haalde diep adem, streek met duim en wijsvinger over haar oogleden en staarde zwijgend de ruimte in.
'Hoe?', vroeg Benders na enkele seconden.
'Mijn vader was ooit lid van een schietvereniging', vervolgde ze mat. 'Hij had een pistool. Toen Jurriaan me vertelde dat hij naar de politie zou gaan om onze zoon aan te geven, reageerde ik heel kalm. Ik zei hem dat te kunnen begrijpen. Ik zei hem ook met hem mee te gaan, maar niet eerder dan dat ik mijn vader had gesproken. Zoals ik van hem verwachtte, had hij daar alle begrip voor.'
'En toen u terugkwam, schoot u hem neer.'
Ze knikte traag. 'Jurriaan ligt onder de plataan', zei ze zacht. 'De plataan, die straks in het voorjaar weer vol zal zitten met tsjilpende mussen.'
Er trok een wrange glimlach rond haar lippen. 'Ik hield van die beesten, ze aten uit m'n hand.'
Daarna volgde er niets meer. Ze had hem alleen nog aangekeken, zwijgend, met een blik waarmee ze leek te willen zeggen dat er een streep onder haar leven was getrokken. Voorgoed.

Uit het crime-fonds van Uitgeverij Ellessy:

Het hoofd, Jacob Vis (1994)
De bidsprinkhaan, Jacob Vis (1994)
De infiltrant, Jacob Vis (1995)
De Jacobijnen, Jacob Vis (1997)
Wetland, Jacob Vis (1998)
Morren, Jacob Vis (2001)
Brains, Jacob Vis (2002)
De muur, Jacob Vis (2003)
Nacht van de wolf, Sandra Berg (2002)
Het rode spoor, Ivo A. Dekoning (2001)
Perzikman, Frans van Duijn (2002)
Engel, Frans van Duijn (2003)
Eigen richting, Jan van Hout (1997)
In andermans huid, Jan van Hout (2000)
Dummy, Jan van Hout (2001)
Frontstore, Jan van Hout (2003)
Coke en gladiolen, Will Jansen, (2001)
De connectie, Jan Kremer (1997)
De ingreep, Jan Kremer (1999)
De misleiding, Jan Kremer (2003)
Leugens!, Guido van der Kroef (1999)
Waanzin!, Guido van der Kroef (2000)
Hebzucht!, Guido van der Kroef (2001)
Moordlied, Guido van der Kroef (2002)
Het lied van de lijster, Gerard Nanne (2002)
Eindhalte Hamdorff, P.J.Ronner (2002)
Schoon schip, Gerry Sajet (1999)
Laatste trein, Gerry Sajet (2001)
Zand erover, Gerry Sajet (2002)
Troebel water, Gerry Sajet (2003)
Glad ijs, Willemien Spook (2000)
Basuko, Herman Vemde (2001)
Sarin, Herman Vemde (2002)
Moeders mooiste, Anne Winkels (2002)